Le petit mercure

Alain-Fournier
Lettres à Jeanne

Édition établie, préfacée et annotée
par Ariane Charton

Mercure de France

ISBN 978-2-7152-3523-6

INTRODUCTION

> *« Personne ne peut savoir à quel point j'ai été cruel avec les femmes que j'ai aimées. Elles ne comprenaient pas que je souffrais plus qu'elles de ma cruauté, de cette pitié affreuse qui me prenait d'elles. Elles ne comprenaient pas que je voulais tout avec rapacité ; l'amour après quoi plus rien n'existe ; après quoi on met le feu aux quatre coins du pays[1]. »*

Le 1er juin 1905, Henri Fournier, élève en khâgne, au lycée Lakanal de Sceaux, profite de ce jour de l'Ascension pour se rendre au Salon de la Société Nationale des beaux-arts qui se tient au Grand Palais. En sortant, dans l'escalier, son regard croise celui d'une jeune femme accompagnée d'une vieille dame. Saisi par la beauté de l'inconnue, il la suit, monte avec elle dans le bateau-mouche puis marche jusqu'au numéro 12 du boulevard Saint-Germain où elle demeure. Le 11 juin, jour de la Pentecôte, il guette la belle inconnue devant chez elle et la suit lorsqu'elle sort pour emprunter un tramway. Il l'aborde au moment où elle entre à l'église Saint-Germain-des-Prés, ne la perd pas des yeux pendant l'office, jusqu'à la sortie. D'abord assez hostile, la jeune femme accepte d'écouter son soupirant. Ils marchent environ un quart d'heure entre l'église et le pont des Invalides. Des choses sont dites. La forte impression qu'Yvonne de Quiévrecourt a produite sur Henri Fournier est réciproque.

L'étudiant, âgé de bientôt 19 ans, écrit déjà des poèmes en prose, fortement inspirés par les symbolistes qu'il admire. Il annonce avec aplomb à Yvonne qu'il va prochainement publier des textes. Pour être à la hauteur, Fournier va tenter quelques semaines plus tard de faire passer sa prose dans la revue *L'Ermitage,* sans succès.

L'image d'Yvonne de Quiévrecourt, demoiselle pure, évanescente et en même temps lointaine et altière, va hanter son esprit et son cœur pendant des années. Cette figure se retrouve dans plusieurs de ses poèmes en vers libres. Elle est aussi évoquée dans des lettres à son ami Jacques Rivière, parfois subitement et de façon si allusive que Rivière ne comprend pas. Henri Fournier fera faire des recherches sur la jeune femme par un détective privé, effectuera des pèlerinages boulevard Saint-Germain à l'Ascension, lorsqu'il est à Paris. Quand il apprendra qu'elle est mariée puis qu'elle a un enfant son désespoir sera immense… sans cependant le décourager totalement. Leur amour est en dehors du monde des vivants comme il le dit. Ils se reverront cependant une fois, aux premiers jours du mois d'août 1913, à Rochefort.

En 1909, quatre ans après ce qu'il appelle la « belle histoire », il commence à songer à un roman, mais la trame en est encore vague. Une fois son service militaire achevé, fin septembre 1909, il a le loisir de se consacrer à l'écriture. Mais *Le Grand Meaulnes* va naître difficilement et tous les prétextes sont bons, au début, pour ne pas se mettre à son bureau, notamment la recherche d'un travail alimentaire.

Au début de l'année 1910, Alain-Fournier devient rédacteur pour *Paris-Journal*. Il s'occupera notamment du courrier littéraire constitué d'échos sur le monde de l'édition, les publications et autres événements liés à la littérature. Nous avons peu d'informations sur les avancées du *Grand Meaulnes* car vivant sous le même toit que Jacques Rivière, son ami, beau-frère et confident, il a peu de correspondances suivies, si ce n'est avec le peintre André Lhote. Mais les lettres à Rivière, parti à Cenon, près de Bordeaux, en avril 1910 laissent entendre qu'il a peu écrit faute d'inspiration, faute de trouver la voie qu'il ne découvrira que durant l'été de cette même année.

Cependant, la future Yvonne de Galais apparaît déjà, sous d'autres prénoms, de même que Meaulnes et François Seurel, qui n'est pas encore le narrateur. Alain-Fournier songe à utiliser ses souvenirs, notamment ceux liés à son enfance à Épineuil-le-Fleuriel dans le Cher où ses parents étaient instituteurs et où il a suivi les classes du primaire. Il tâtonne, tourne autour de la future intrigue, prend des notes, multiplie les brouillons et les ébauches.

Le personnage d'Yvonne de Galais illumine *Le Grand Meaulnes* et même si à la fin elle épouse Augustin Meaulnes leur amour échappe à l'usure, à l'impureté parce que le héros s'enfuit le lendemain de leur nuit de noces. La plupart des biographies ou livres inspirés de la vie d'Alain-Fournier ne s'attachent qu'à l'amour impossible pour Yvonne de Quiévrecourt, donnant l'image d'un écrivain qui ne serait l'homme que d'une seule femme, un homme qui n'a vécu que de cet amour chaste, désespéré mais parfait. Certes, Yvonne est sa Muse et a comblé les aspirations à l'absolu de l'auteur. Mais s'en tenir à ce seul aspect, c'est oublier les faces plus sombres et cruelles de la vie de l'écrivain et de son roman. C'est oublier également qu'Henri Fournier est un jeune homme qui, comme les autres, a soif de vie pleine et heureuse.

« Je raconte dans un livre les amours que j'ai eues pour des femmes[2]. » Cette déclaration prouve bien que l'auteur n'a pas aimé seulement Yvonne de Quiévrecourt, ce qui ne diminue en rien la beauté de leur histoire. Dans une lettre à Isabelle et Jacques Rivière, le 5 septembre 1909, il va même jusqu'à énumérer les femmes aimées, parfois seulement croisées, parfois réellement fréquentées. Alain-Fournier ne rejette pas le désir et la sensualité : ils font partie de l'existence. Simplement l'amour charnel doit s'accompagner de fidélité et de sentiments purs.

Jeanne Bruneau est, avec Simone[3], la seule femme avec laquelle Fournier a eu une liaison assez suivie. La correspondance échangée avec Simone, entre 1912 et 1914, est plus importante et permet de retracer précisément les étapes de leur relation. Tel n'est pas le cas pour Jeanne Bruneau : nous n'avons plus aucune de ses lettres et seulement sept d'Alain-Fournier (l'une à l'état de brouillon, les autres étant sans doute des brouillons définitifs ou bien des lettres envoyées puis rendues). L'écrivain parle aussi quelquefois dans sa correspondance de Jeanne à Jacques et Isabelle Rivière, René Bichet et André Lhote. À ces lettres s'ajoutent un texte autobiographique, « La Dispute et la nuit dans la cellule », ainsi qu'une sorte de journal-brouillon du *Grand Meaulnes*[4] dans lequel l'écrivain a abondamment puisé pour les chapitres XIV à XVI de la troisième partie de son roman.

C'est peu et en même temps assez important pour souligner le caractère passionnel et inégal de cette histoire qui dura deux ans. Deux ans faits de ruptures et de réconciliations dont même Isabelle Rivière ne put donner des indications précises dans ses deux livres consacrés à son frère.

Les documents conservés sur Jeanne, première maîtresse importante de l'écrivain, montrent comment Fournier aime une femme avec laquelle il a des rapports réels, à la fois conflictuels et tendres. Ils révèlent aussi la cruauté de ce jeune homme qui élève l'amour au rang d'idéal. L'impureté reprochée à Jeanne Bruneau vient du fait qu'elle ne croit pas assez à ce sentiment. « Je n'ai pas un amant. J'en ai cent. Mais non, tout ce que j'ai dit est faux. Ne me croyez pas. Sa voix où la peine est devenue comme une raillerie[5]. »

Alain-Fournier rêve d'une femme qui partirait avec lui dans son monde intérieur, fait d'aventures et de merveille. Jeanne ne s'émerveille pas. Elle n'a pas, selon son amant, le courage d'aspirer à l'absolu.

Tout a commencé le 12 février 1910. En fin d'après-midi, sur les quais, près des Tuileries, Henri Fournier aborde Jeanne Bruneau. Le soir, à la demande de celle-ci, il l'emmène, elle et sa sœur Fernande, voir *La Dame aux camélias* jouée par Sarah Bernhardt dans le théâtre qui portait son nom[6].

D'emblée, leur relation est marquée du sceau de la souffrance. En effet, le soir de leur rencontre, un ouvrier passa à côté d'eux et déclara : « N'y va pas, ma petite, il te ferait mal ! » réplique notée plusieurs fois dans les brouillons du *Grand*

Meaulnes et intégrée dans la version définitive, chapitre XIV de la troisième partie.

Jeanne Bruneau est modiste. Elle travaille pour un grossiste dans son modeste logement, 10 rue Chanoinesse, près de Notre-Dame. Née le 25 septembre 1885, elle est originaire de Bourges. La jeune femme a donc de quoi séduire Fournier, si attaché à son Berry natal et attiré par la simplicité des petites gens.

Ils deviennent amants dans les jours ou semaines qui suivent. Mais la liaison s'avère vite chaotique. Début juin, ils sont déjà brouillés puis renouent peu après et rendent visite à André Lhote, peintre et ami de Fournier, du 22 au 28 juin à Orgeville (documents 1 et 2). Lhote devait réaliser plusieurs portraits de Jeanne et un de Fernande, sa sœur, pendant le temps que dura la liaison. Le samedi 27 août, Fournier, en vacances à La Chapelle-d'Angillon, dans le Cher, rend visite à Jeanne à Bourges. La jeune femme envoie peu après un courrier pour détourner l'écrivain de poursuivre leur relation (lettre 2). Les amants se retrouvent à Paris début octobre et se réconcilient jusqu'au 19, date d'une nouvelle rupture (documents 6 et 7). Début décembre, ils ont déjà renoué. Fournier rompt le 8 février 1911. Ils se réconcilient une ou plusieurs fois avant une autre séparation le 8 août de la même année. Cette rupture dure cette fois plusieurs mois durant lesquels l'écrivain fréquente une certaine Henriette, artiste de music-hall. Comme à Jeanne, il reprochera à celle-ci de ne pas « cherch[er] le même paradis »[7] que lui.

Alain-Fournier et Jeanne Bruneau redeviennent amants au début de l'année 1912, l'écrivain tente alors d'intégrer la jeune femme à sa vie familiale notamment en se promenant avec elle, Isabelle et la petite Jacqueline, sa nièce. Mais le cœur n'y est plus et ils se séparent définitivement à la fin du printemps. La lassitude a eu raison d'eux. Il semble que les deux jeunes gens n'aient pas eu de contact, lors de la parution du *Grand Meaulnes*.

Jeanne Bruneau, devenue Mme René-Charles Pioche en 1918, mena, par son mariage avec un avocat spécialisé dans le droit d'auteur et des artistes, une vie mondaine. Après la Deuxième Guerre mondiale, le couple, sans enfant, se trouva à peu près ruiné et se retira dans le Loiret. Veuve en 1953, Jeanne Pioche mourut à Orléans en 1971.

Les origines modestes de Jeanne, en opposition au milieu aisé dont est issue Yvonne de Quiévre-court, participent à la fascination qu'Alain-Fournier éprouve pour cette âme qu'il veut sauver en la sanctifiant par son amour. Il exige d'elle fidélité, veut lui faire aimer la beauté, l'emmène à l'église non tant pour prier que pour qu'elle soit touchée par la grâce qui s'attache à la croyance et dont il est lui-même en quête. Il lui montre Jacqueline comme pour éveiller en elle un pur instinct maternel. Il entreprend même de sortir avec elle en compagnie de Jacques Rivière. Mais c'est à peine si Jeanne ose regarder les deux hommes et encore moins leur parler. Tel qu'elle apparaît, Jeanne est un petit être muet, peureux, qui parfois se plie aux caprices de son amant, parfois se révolte contre ses exigences, osant le manipuler indirectement. Elle lui parlera par exemple de l'homme qui s'est suicidé pour elle, allant jusqu'à lui donner les lettres du malheureux pour montrer sa franchise. Alain-Fournier sera répugné par les mots d'amour d'un autre. C'est tout l'objet de « la dispute » (document 2).

Outre ce que cette liaison révèle de la personnalité d'Alain-Fournier, Jeanne Bruneau est intégrée au *Grand Meaulnes* en cours de rédaction. Cette liaison, qui correspond à l'essentiel de la période d'écriture, souligne aussi la portée autobiographique de son roman. Tout le moi profond d'Alain-Fournier est contenu dans *Le Grand Meaulnes*, fruit d'une maturation de plusieurs années mais aussi d'événements qui se sont produits au cours de l'écriture. Jeanne est l'un de ces événements.

Il n'est pas exagéré de penser que la présence de la modiste a aidé l'auteur à trouver ce qu'il appellera son « chemin de Damas », c'est-à-dire la manière dont il doit écrire son roman : « simplement, directement, comme une de mes lettres, par petits paragraphes serrés et voluptueux[8] ». Est-ce un hasard si cette découverte a lieu en septembre 1910, au moment où Alain-Fournier annonce à Jeanne qu'elle va être dans son roman sous le prénom d'Annette[9] (lettre 2) et rédige « La Dispute et la nuit dans la cellule » ? Contrairement à ce qu'il laisse entendre à son amie, il est bien possible que son tourment amoureux, même s'il lui a ôté la paix, lui ait permis de se mettre enfin au travail. On n'écrit peut-être jamais mieux que dans un état de passion quelle qu'elle soit.

Certaines ébauches du *Grand Meaulnes* où apparaît Valentine sont constituées de fragments de journaux, de notes prises au fil des rendez-vous mais aussi de passages de lettres à sa maîtresse envoyées ou gardées pour lui. « Il y a des gestes, des phrases, des mouvements de fonds que j'ai recueillis précieusement, sans que vous le sachiez[10] » écrit-il à Jeanne. Dans le journal-brouillon, il indique qu'il a lu à Jeanne le récit de la rupture entre Meaulnes et Annette (Valentine).

Ne faut-il pas qu'il ait cru à cette histoire pour faire entrer si vite Jeanne dans son roman ? En dépit des disputes, au début de l'année 1912, il envisagera de l'épouser et d'avoir un enfant avec elle. Ultime sursaut d'une liaison agonisante certes mais qui révèle la place de Jeanne dans son esprit. Difficile dès lors de penser qu'il a seulement entre-tenu cette liaison pour alimenter son roman même si une part de calcul littéraire a certainement joué dans le comportement de l'homme qui trouvait là un terrain d'observation parfait. Jeanne Bruneau correspond au type de personnage qui bouleversait l'écrivain : la femme perdue. Cette figure est traitée notamment dans son texte en prose « Madeleine[11] » rédigé à l'été 1909 mais aussi dans le récit qu'il fit à René Bichet le 7 mai 1909 d'une visite que lui rendit une prostituée à Mirande. Ne dit-il pas plusieurs fois qu'il veut sauver Jeanne ?

Valentine Blondeau dans *Le Grand Meaulnes* est le second personnage féminin important. Elle est pourtant souvent oubliée au profit d'Yvonne de Galais qui illumine l'œuvre. Peut-être parce qu'au contraire, elle assombrit le livre. Elle est aussi celle qui fait passer de l'adolescence à l'âge adulte.

L'opposition entre les deux femmes dans la réalité et dans le roman est très nette. Jeanne/Valentine est une figure sombre, impure, à laquelle Fournier accole généralement l'adjectif « pauvre » qui ne s'entend pas tant dans le sens matériel que pour souligner la pitié qu'elle inspire, petite âme perdue. À elle, la grâce sera toujours refusée, en grande partie par sa faute, parce qu'elle manque de courage.

Yvonne de Quiévrecourt/de Galais est la Demoiselle hautaine, celle qui oblige à lever les yeux et qui est née avec la pureté sans avoir à l'acquérir.

Yvonne est vêtue de blanc, elle est blonde avec

des traits parfaits. Jeanne, brune, est vêtue en deuil et a de légers défauts. « [U]ne petite ride au coin des lèvres, un peu d'affaissement aux joues [...] Fine et grave, vêtue de noir, avec de la poudre au visage et une collerette qui lui donne l'air d'un pierrot coupable. Un air à la fois douloureux et malicieux[12]. »

Valentine révèle les aspects sinon négatifs du moins imparfaits de l'âme humaine au contraire d'Yvonne qui incarne l'idéal.

Valentine/Jeanne est une présence discrète et pourtant essentielle pour le roman mais aussi très certainement dans l'évolution de Fournier. C'est elle qui sert de deus ex machina. La fête étrange prend fin parce qu'elle ne vient pas et a renoncé à épouser Frantz de Galais dont elle ne sent pas digne (tout comme Jeanne ne devait pas se sentir digne de « son Henri »). Elle rappelle à tout le monde la dure réalité. Meaulnes rentre à Sainte-Agathe, ébloui par le souvenir d'Yvonne qu'il va rechercher. Il retrouve sa trace à Paris, erre sous ses fenêtres où il rencontre Valentine. Elle lui dit par erreur qu'Yvonne est mariée, ce qui désespère Meaulnes. Il ignore que cette inconnue est la fiancée de Frantz de Galais. Leurs souffrances amoureuses respectives les réunissent. Leur relation restera chaste mais Meaulnes trahit cependant Yvonne quand il fait passer Valentine pour son épouse et envisage de se marier avec elle. Il découvrira qu'il a aussi trahi Frantz et voudra tenir sa promesse de l'aider à retrouver sa fiancée.

Valentine est donc à l'origine des fautes de Meaulnes, elle est impure.

L'un des moments intenses et les plus cruels de la liaison avec Jeanne se déroula à Orgeville, fin juin 1910. « La Dispute et la nuit dans la cellule » (document 2) raconte exactement ce qui s'est produit comme en témoigne la lettre au couple Lhote (document 1). C'est un texte fort dans lequel Alain-Fournier n'a aucunement exagéré violence, dégoût, scrupule, souffrance, pitié que lui inspire sa compagne. On comprend qu'il ait atténué les propos dans *Le Grand Meaulnes* pour correspondre au ton et à l'esprit de son roman même si on peut juger la version originale plus réussie parce que plus saisissante.

Connaître la relation de Jeanne Bruneau avec Alain-Fournier permet d'avoir une image plus juste de ce jeune homme tourmenté.

Découvrir la destinée littéraire de Jeanne Bruneau nous mène aussi à relire *Le Grand Meaulnes* d'une façon moins angélique et à voir en Alain-Fournier un auteur qui, d'une façon délicate, a aussi cherché à révéler ces démons qui nous habitent tous.

Ariane CHARTON

NOTE DE L'ÉDITEUR

Pour les « Lettres à Jeanne », nous avons indiqué en note le ou les mots illisibles ou bien raturés avec soin. Nous avons choisi de conserver les phrases barrées mais lisibles, qui apparaissent ici entre crochets. Les mots soulignés une fois dans les lettres sont en italique.

LETTRES À JEANNE

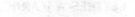

LETTRE 1

Paris entre mars et début août 1910

Je pense vous donner ceci le soir, chez vous, à la fin de ce dimanche que j'imagine si beau.

Il y a quelque chose que je ne puis pas dire et que pourtant je veux vous dire.

Je voudrais [du moins] que vous sachiez, si nous devons ne plus nous revoir, la façon dont je vous aime. Si nous devons, un soir, après nous être fâchés et déchirés, nous séparer, du moins vous saurez ce que vous avez été pour moi.

Le premier jour de notre rencontre, je trouvais dans votre visage certains traits, certains passages moins doux, peut-être. Maintenant ce sont ceux-là que je préfère ; je ne les regarde jamais sans une tendresse immense, sans une grande envie de vous parler plus amicalement encore.

Il y a des gestes, des phrases, des mouvements de fonds que j'ai recueillis précieusement, sans que vous le sachiez : je me rappelle, le premier jour, votre façon de me regarder en face tout d'un coup – comme on regarde quelqu'un qui ment.

Je me rappellerai toujours le son de votre voix, si simple, si grave et si drôle.

Je me rappelle encore la façon dont le soir, au théâtre, votre poitrine délicate s'appuyait sur votre pauvre chemise[13].

Je me rappelle aussi ces baisers sur le front que ma grande amie me donnait en me disant : « Il ne faut vous embrasser que comme cela, vous êtes trop petit ! »

Je n'oublierai jamais cette émotion qui m'a bouleversé, le soir du premier vendredi, lorsque, sentant mes coudes écorchés, j'ai compris tout à coup : « c'est que, plusieurs heures, je suis resté accoudé, penché sur *elle* ».

Et encore ceci : mardi soir, nous marchions derrière votre sœur en revenant de la rue Béranger. J'ai souri d'un mot enfantin que vous m'aviez dit, et vous vous êtes serrée tout d'un coup contre moi.

Je me rappellerai encore bien d'autres choses plus belles, comme ces grands frissons qui vous traversent et vous font tant de mal et qui sont beaux pourtant.

C'est ainsi que vous me faites grand mal et que je vous aime pourtant.

Il y a surtout une pensée qui me torture. Je ne puis me faire à l'idée que vous vouliez vous perdre. Je supporterais encore que vous soyez perdue pour moi, mais perdue, perdue pour tous, pour toujours ! Toute cette grâce si rare et si précieuse, à la rue ! Tout cela méconnu, abîmé ! Pensez-y : devenir quelqu'un sans cœur, ni âme, ni corps, devant qui l'on ne prononce plus sans honte le mot « amour ».

Tout ce que je vous ai écrit, Jeanne, si vous y croyez un peu, rien qu'un peu, je resterai votre tout petit, ma toute grande, n'est-ce pas ?

Mais si vraiment cela vous éloigne de moi davantage encore, s'il n'y a vraiment que nos corps qui aient joué ensemble et rien de plus, alors, je vous supplie, repoussez-moi, renvoyez-moi, ne laissez plus auprès de vous quelqu'un qui se trompe ainsi, arrachez-moi de vous pendant qu'il en est temps encore.

Jeanne, depuis que j'écris ceci, je m'arrête chaque fois que je suis tenté d'écrire un nom trop doux, pour ne pas vous faire sourire. Mais, [lorsque je suis auprès de vous], je ne puis à la fin m'empêcher d'appuyer ma joue contre la vôtre – et je ne résiste plus à la tentation, ma toute grande, mon beau petit, ma petite madone à la haute coiffure, mon ange aux grands yeux, mon ange au fin sourire, ma petite fille qui baisse la tête en riant et qui se moque de moi, ma femme serrée contre moi et qui parfois m'aime et parfois ne m'aime plus, ma petite maman qui me noue ma serviette autour du cou, ma femme qui a peur et que je rassure, ma femme ménagère, ma femme au corps brûlant, ma femme au corps très pur, ma femme très chaste, ma femme très simple, ma femme chérie, ma femme

Henri

LETTRE 2

La lettre définitive est perdue mais ce brouillon tourmenté, rédigé en plusieurs versions met très bien en valeur les sentiments paradoxaux qu'Alain-Fournier nourrit pour Jeanne. Les variantes d'une même idée et les répétitions sont de la part de l'écrivain moins liées au souci de trouver la juste expression que révélatrices de ses obsessions. Il répond à une lettre de Jeanne dans laquelle elle lui fait croire qu'elle va revoir un ancien amant. Mensonge pour s'arracher à lui et le décourager (document 6).

> *[La Chapelle-d'Angillon,*
> *vers le 10 septembre 1910]*

Ainsi, ma pauvre Jeanne, tout est fini et vous êtes retournée à votre misère, à votre existence perdue d'autrefois.

La lettre que j'ai trouvée à mon retour de

Bourges[14] et votre silence de quinze jours me disent assez que vous avez renoncé à tout et que vous passez des vacances comme celles de jadis.

J'en ai beaucoup souffert. Je n'ai pas de honte à le dire.

Je ne pouvais pas comprendre qu'après avoir connu l'amour qui vraiment soit l'amour, on en revienne si facilement à se vendre et à se perdre.

J'ai souffert au point d'inquiéter ceux qui sont avec moi. Mais mon mal est enfin apaisé; j'ai retrouvé le peu de calme qu'il faut pour travailler.

Je ne vous écris donc pas pour une réconciliation. Pas non plus pour des reproches. Mais seulement pour faire cesser ce silence, où tous les deux nous avons l'air de jouer au plus fort, et pour régler définitivement la situation

J'ai deux ou trois choses à vous dire, avant la fin.

D'abord, vous devez comprendre maintenant que je ne vous ai pas fait souffrir par plaisir.

[Je souffrais moi-même de voir que vous ne changiez pas et que je ne pouvais pas vous pardonner parce que vous étiez prête à recommencer.

Je vous ai fait souffrir parce que je voulais vous pardonner.]

Je vous ai fait souffrir parce que j'aurais voulu vous donner mon pardon et plus encore et j'aurais voulu que vous le méritiez.

Vous voyez maintenant comme vous m'[avez]

Je vous ai aimée d'un amour plus haut que vous ne l'auriez voulu. De là sont venus seulement

Je vous aimais jusqu'à vous pardonner et davantage peut-être. Mais

D'abord ceci : [Vous comprendrez] Il n'a tenu qu'à vous d'obtenir votre pardon et davantage peut-être. Mais, vous le voyez bien maintenant, j'avais bien raison de penser que vous ne changiez pas et que vous étiez prête à recommencer
Je vous ai aimée d'un amour plus haut que vous ne l'auriez voulu. [C'est de là qu'est venu tout le mal. D'un amour qui ne supportait pas de bassesse. Et vous n'avez pas eu le courage de supporter cela.]
[De là est venue] notre [peine] souffrance à tous deux. Mais il ne faut pas dire pour cela que j'avais mauvais caractère. Il ne faut pas se quitter sur ce pauvre [tout] petit reproche.

D'un amour impossible

Vous n'avez pas eu le courage de supporter cet amour impossible, qui vous voulait jeune, belle et pure malgré tout.

Je vous ai aimée d'un amour impossible.
D'un amour chaud qui restait un amour d'âme,
[malgré tout] quand même. Je vous voulais
jeune, belle et pure. Et votre âme pouvait advenir
encore jeune, belle et pure c'est-à-dire heureuse.
Il fallait souffrir un peu pour cela. Vous n'avez
pas eu le courage qu'il fallait pour cela. Je ne
vous jugeais pas comme tout le monde.

Mais, vous [vous ne demandiez qu'à être]
vous jugiez comme tout le monde. Vous disiez :
je suis comme les autres. [Et vous voyez bien,
vous aviez raison et cet envoi qui me trompais
(*sic*)]

Quelques rectifications maintenant, à propos de
mes amis :

Nous avions jugé Mme Lhote un peu trop rapidement. Elle était moins superficielle que nous
l'avions dit. Quelqu'un m'écrit que la dispari-
tion[15] que la douleur d'avoir perdu sa sœur l'a
défigurée[16].

Quant à Lhote, lui-même, je lui disais vos
regrets pour la nuit qu'il avait passée chez nous :
Il a ri, très sincèrement, en disant que vous le
connaissiez fort/bien mal.

– [Il me reste à vous] La lettre du portrait et ce

mouchoir égaré [parmi les miens] dans mon linge. Faut-il vous les envoyer ?

– Pour le surplus, je travaille sans trêve. [Je me sens d'une ambition affreuse. Je travaille] plusieurs heures par jour à mon premier livre. Je pense terminer aujourd'hui le chapitre consacré à notre voyage d'Orgeville[17]. Vous vous appellerez Annette.

Ce matin, à cinq heures, au lit, j'ai commencé un conte[18] [pour *Paris-Journal,* qui devient un journal aussi répugnant que les autres] qui fera curieuse figure parmi les bavardages de *Paris-Journal*[19].

Et je dois donner une note sur *Marie-Claire* dans le numéro d'octobre de la Nouvelle Revue française.[20]

Je me sens d'une ambition affreuse.

On vient de me payer dix francs la page mon « miracle » de la Grande Revue[21]. – C'est, rappelez-vous, cet argent dont nous eûmes un soir si grand besoin. – Mais nous nous en sommes tirés quand même – parce que les questions d'argent s'arrangent toujours. Les autres, pas.

– C'est un matin de septembre, brumeux et sentimental. Une abeille mouillée vient d'entrer dans ma chambre. Elle s'est posée un instant sur le fermoir doré de votre agenda.

Et c'est ainsi que finit l'histoire de la pauvre Annette, qui fut pendant quatre jours[22] la ménagère et la femme d'

Henri

Je réponds après douze jours à la lettre que j'ai trouvée chez moi en revenant de Bourges. J'ai attendu moi-même douze jours pour

Ne prenez pas ceci pour une lettre d'avances. Il est trop tard, maintenant, pour qu'on puisse parler d'avances entre nous.

Le délai que je m'étais fixé est écoulé. Vous êtes restée douze jours dans ce pays où vous avez autrefois commis toutes vos fautes.

Pour moi, puisque vous [êtes] avez pu rester à Bourges aussi longtemps sans m'écrire, c'est que vous êtes retournée à vos pauvres [misérables] aventures d'autrefois.

Je veux seulement essayer une dernière fois de vous

Je pouvais vous pardonner vous, parce que je vous aimais. Je pouvais vous aimer. Je ne pouvais pourtant pas aimer vos fautes.

Je vous aimais, vous, si vous étiez définitivement innocente de ces fautes. Si vous en aviez eu dégoût. Mais dès l'instant où elles vous paraissent excusables, naturelles, dès l'instant où vous paraissiez prête à les recommencer, comment aurais-je pu [vous pardonner] ne pas souffrir et ne pas me révolter.

J'aurais voulu que mon amour effaçât tout. Qu'il fût pour vous tellement autre chose que tout ce que vous aviez connu !

Toutes les fois que nous sommes revenus l'un à l'autre, ce fut je me souviens la même déception.

J'aurais voulu qu'après mon amour, vous [ne pensiez plus qu'à pu] ne puissiez plus[23] votre amour, vous ne croyez plus à cela, vous ne croyez plus cela possible.

J'aurais voulu vous apprendre ce que c'est que l'amour. À quelle hauteur on peut amener l'amour. Quelle force délicieuse et merveilleuse il peut donner à deux âmes

Je n'aurais pas voulu vous juger comme tout le monde. Malgré tout, vous auriez été mon âme, à moi, et personne n'y aurait rien compris.

Mais quand je croyais que tout était sauvé et que nous étions tous les deux bien détachés, tous deux, c'est vous-même qui recommenciez à vous juger comme tout le monde le fait.

[Je voulais savoir] Après ma visite de l'autre jour, [si vous aviez le courage de ne rien ajouter à la lettre que j'ai trouvée en rentrant. Si vous avez le courage de rester douze jours sans moi] vous avez [pu ne] eu le courage de rien ajouter à la lettre que j'ai trouvée en rentrant, vous avez pu rester douze jours sans moi, à Bourges.

Ce n'aura été pour vous qu'une passade, une liaison, un petit ménage de qques mois, une aventure semblable aux autres.

Vous voyez bien maintenant que je n'avais pas si mauvais caractère; que j'avais bien raison de souffrir [de]

Ainsi, ma pauvre Jeanne,   [Ainsi] tout est fini.

[Ainsi] Vous êtes retournée à toute votre misère, à toute votre pauvreté d'autrefois. Vous voyez que je n'avais pas tort [lorsque je ne pouvais pas me satisfaire de notre amour] lorsque je sentais jusqu'à la souffrance que notre amour était bien imparfait.

Je n'avais pas tort de dire que

Le grand amour que je vous ai insufflé[24] presque vous y avez si facilement renoncé[25] par peur de souffrir un peu[26]

J'aurais voulu que notre amour [soit] fût tout, toute la chose extraordinaire, unique et sans fin qu'est pour moi l'amour. Pour vous, ce n'a été sans doute qu'un petit nœud[27] à défaut duquel on se contenterait d'un autre

Vous comprendrez peut-être[28]

Pour le surplus, je travaille [consid] sans trêve. Je me sens une ambition affreuse. [Mon premier livre[29] est très avancé] Plusieurs heures par jour à mon premier livre. Je pense terminer aujourd'hui le chapitre consacré notre voyage d'Orgeville. Vous vous appellerez Annette.

Ce matin, à cinq heures, au lit, j'ai commencé un conte pour Paris-Journal.
Et je viens de recevoir [la note] trois numéros de la *Grande Revue* qui contiennent *Marie-Claire* de Marguerite Audoux. [Je dois] Je dois donner une note sur Marie-Claire de Mag. Audoux dans le numéro *de la N^elle Revue Française* d'octobre.

Ainsi, ma pauvre Jeanne, tout est fini et vous êtes retournée à votre misère, à votre existence perdue d'autrefois.

[J'ai attendu jusqu'à aujourd'hui, ne croyant pas que vous me laisseriez, après ma visite de l'autre samedi, sur la lettre que j'ai trouvée en rentrant.

Mais je comprends maintenant que tout fini (*sic*) parce que vous

[Vous devez comprendre maintenant que j'ai raison de trouver notre amour imparfait et de souffrir puisque vous y avez si vite renoncé.]

J'en ai terriblement souffert

La lettre que j'ai trouvée à mon retour de Bourges et votre silence de quinze jours me disent assez que vous avez renoncé à tout et que vous[30] passe (*sic*) [sans doute] des vacances comme celles [d'autrefois] de jadis.

J'en ai beaucoup souffert. Je [ne le cache pas] ai pas de honte à le dire (parce que j'ai moins d'orgueil qu'on ne croit et parce que trouve [ridicule] sot de jouer au plus fort, après qu'on s'est aimé) Je ne pouvais comprendre qu'après avoir connu l'amour qui vraiment soit l'amour on en revienne si facilement à se vendre et à se perdre Tant d'impureté.

[J'ai donc] J'ai souffert au point d'inquiéter ceux qui sont avec moi

[Je commence à guérir] mon mal est [maintenant] enfin apaisé

Mais j'ai [maintenant enfin] regagné retrouvé le [calme] peu de calme [et la paix] qu'il faut pour travailler.

Je veux seulement faire cesser la situation actuelle. Nous avons l'air de nous attendre l'un l'autre et de jouer (*sic*) plus fort. C'est un jeu qui ne trompe ni ne peut nous éprouver ridicule lorsqu'on s'aime comme nous nous sommes aimés.

Réglons donc [Réglons donc, si vous voulez cette situation pour toujours.] D'abord pourquoi nous [qui] quitter ?

Vous me reprochez d'avoir été cruel et d'aimer à vous [faire souffrir] torturer. Vous auriez dû comprendre que cet amour était unique et tourmenté parce qu'il était profond, violent et presque fou[31], jeune

Ce que vous avez pris pour un amour charnel était aussi un grand amour d'âme. Vous le comprendrez plus tard.

Enfin, écoutez ceci : Vous m'accusez de vous quitter par excès d'orgueil[32], par excès de pureté – pour [pour que] un amour plus haut. Sachez que si vous en aviez eu le courage ce plus haut amour aura

Parce que je vous ai aimée d'un amour plus haut [qu'il n'] que vous ne l'auriez voulu. C'est ce qui vous a fait souffrir et c'est ce qui m'a tant fait souffrir. Tout le mal vient de là mais il ne faut pas dire pour cela que j'avais mauvais caractère. Il

faut laisser [dire cela] cela [à votre sœur]. Quitter
sur ce vilain petit reproche

[Nous avons renoncé à notre amour, moi par
manque d'humilité

Mais avec un peu plus d'humilité, vous auriez
eu un peu plus de courage, nous aurions fait deux
amants modèles[33].]

Je ne vous écris donc [aujourd'hui] ni pour
vous faire des reproches ni pour vous demander
une réconciliation. Je suis trop certain [il est trop
tard maintenant]. Il est trop tard maintenant.
Il y aurait toujours entre nous ces quinze jours
que vous avez passé sans moi dans le pays de vos
fautes anciennes.

Je veux seulement faire cesser ce silence absurde
qui ne règle et[34] régler

Vous m'avez accusé dans votre lettre de prendre
plaisir à vous faire souffrir.

– mais si mon amour était inquiet, tourmenté,
cruel même, c'est, vous le savez bien, parce que je
vous aimais trop, et je vous aurais voulue digne
de mon amour.

Voici définitivement la vérité sur notre séparation : je vous ai quittée par manque de résigna-
tion, parce que je désirais un plus haut amour ;
mais, si vous aviez voulu, ce plus haut amour
aurait été pour vous.

Et vous, vous avez [renoncé à ce que nous nous aimions] accepté la rupture par manque de courage, parce que vous avez eu peur de souffrir.

[Sachez que mon amour inquiet, tourmenté]

Je ne veux pas qu'on [m'accuse de mauvais caractère] s'en prenne à mon caractère [ni de prendre plaisir à vous faire souffrir] – ma faute est de vous avoir aimée avec une telle ardeur et une telle jeunesse.

Le seul reproche que vous m'avez fait est d'avoir pris plaisir à vous faire souffrir.

Si je vous avais aimée avec un peu plus d'humilité vous auriez eu un peu plus de courage

Mari et femme ds cette chambre de notre maison de campagne

La lettre et le mouchoir

Obtenir une réponse pour une question

Enfin, nous avions jugé mad^me Lhote un peu trop rapidement. Quelqu'un m'écrit que la douleur d'avoir perdu sa sœur l'a défigurée complètement.

Elle menait une existence moins superficielle que nous ne l'aurions dit tous les deux

Je vous écris donc seulement pour régler une situation que votre silence a laissée jusqu'ici en suspens.

Vous semblez dire que nous nous quittons parce que [j'aime] je me plais à v[ou]s faire souffrir.

Deux ou trois choses que je tiens à dire avant de partir :
Nous avions jugé Mme Lhote

Dans une lettre datée du 11 septembre, Fournier écrit à Bichet : « tout est fini entre Jeanne et moi. Nous avons réussi à nous dégrafer l'un de l'autre[35]. »

La jeune modiste, début octobre, l'attend sur un banc, chaque jour, pour se faire pardonner. L'écrivain apprend peu après que Jeanne n'a pas renoué avec un ancien amant. Il est prêt à se réconcilier quand, le 19 octobre, il découvre qu'elle a écrit à cet ex-petit ami. La relation reprend quand même, peu après.

En décembre, Jeanne part à Bourges en convalescence après une angine. Alain-Fournier lui écrit alors cinq longues lettres.

LETTRE 3

[Paris], Lundi matin [5 décembre 1910 ?[36]]

Nanon,

Je t'ai quittée, bien désolé. Je ne savais pas où aller dans cette longue matinée à moi tout seul. Sous prétexte de regarder n'importe quoi, je m'arrêtais pour réfléchir.

Devant une boutique de la rue Bonaparte je regardais des gravures allemandes : quelqu'un tout à coup m'a pris le bras en me disant : « Bonjour, élégant jeune homme ! »

C'était Jacques Copeau[37], qui flânait à Paris et avec qui j'ai flâné tout ce dimanche matin. Nous sommes passés au Louvre, en causant délicieusement, et quand je l'arrêtais devant un tableau c'était toujours celui-là, justement, qu'il préférait.

Une fois dehors, c'est quand il a commencé à pleuvoir que nous avons trouvé le plus de choses à nous dire. Lui me parlait de sa grande amitié avec Gide et[38] moi je ne pouvais me décider à le quitter, tant j'étais heureux d'avoir trouvé cette compagnie.

Je suis rentré à la maison, ruisselant. L'après-midi, je suis passé chez Isabelle[39], où Gustave Tronche et sa sœur avaient déjeuné. On m'a fait fête, dans le petit salon. Je les ai plaisantés[40], parce que du temps de Mme Tronche[41], en entrant chez elle, je commençais à être gai et c'est ainsi qu'elle m'aimait beaucoup. – On ne me connaît pas autrement, chez ces pauvres gens, que plaisant et gai. Mais maintenant qu'elle est morte je plaisante doucement, je plaisante en ayant l'air de dire : « vous voyez c'est encore comme autrefois. »

Il faisait déjà nuit quand je suis parti au journal[42]. Mais je n'étais pas pressé ! Ce grand dimanche était devant moi, tout désert, tout gelé, comme un dimanche d'hiver à la campagne. Le soir quand on se décide à fermer les volets, on sent qu'on n'a pas eu un plaisir, pas une joie de tout le jour. Et c'est pourtant un jour fini qui ne reviendra jamais.

J'ai pensé à ce que vous m'aviez dit : « c'est pour moi que je vous aime, pour moi et non pas pour vous ! » Je réfléchis.[43] Souvent, quand nous étions fâchés, quand il y avait entre nous tant de reproches et de désolation, j'ai songé : « Pour moi, certainement, il vaut mieux que je n'aime plus quelqu'un qui me fait tant de peine… Mais elle, elle, peut-être qu'elle a encore quelque chose à me dire, quelque chose à me demander ; il y a peut-être un pardon que j'aurais pu lui donner et qui la délivrait de tout le[44] mal ; peut-être que je n'ai pas tout compris ; peut-être a-t-elle son cœur affreusement étouffé et blessé par une chose que je ne sais pas et qu'elle ne peut pas dire ». Alors je revenais.

Vous voyez bien que c'est pour vous que je vous aime.

Même lorsque nous étions tous les deux horriblement fous et coupables et que je tenais dans mes mains ta pauvre tête perdue, c'était *pour toi* mon amour, pour toi ma pitié, pour toi ma tendresse désespérée. Pauvre tête perdue que j'ai tant aimée – plus tard, lorsque depuis longtemps nous nous serons oubliés et détestés, lorsque tous deux nous serons morts depuis longtemps, est-ce que je ne pourrai pas, une seconde, rien qu'une seconde encore, de tenir entre mes mains mortes, dans l'obscurité, pour te demander pardon, pardon de ne t'avoir pas sauvée.

Et pourtant dès maintenant, combien[45] il y a de choses que je ne t'ai pas pardonnées ! Je me dis : « Comment a-t-elle pu… ? Comment a-t-elle pu… ! » et pendant des heures il ne reste plus en moi une seule pensée, rien qu'un affreux tourment, une souffrance stérile, perdue, dont Dieu n'a rien à faire, et qui me rend plus méchant. C'est comme cela que souffrent les damnés, disait Péguy.

Tu trouves que la *Brebis Égarée*[46] finit bien ? Je trouve cette fin affreuse. La[47] dernière scène en quatre lignes est certainement ce qu'il y a de plus beau dans cette histoire agaçante, trop simple, trop affectée – mais je ne puis tout de même, cette fin, la supporter sans révolte. Comment peut-elle ? Comment peut-elle revenir ! On ne revient pas. Lorsqu'on s'en va *pour l'amour, par amour*, il faut mettre le feu à la maison, et à tout, et à son âme même : « Certes, je ne me suis pas donné à moitié ! Certes, je ne me suis pas donné à moitié[48] ! » Quel reproche il y a pour toi, pour nos premières rencontres, Nanon, dans cette phrase.

Ce qui est beau tout de même, dans cette fin, c'est cette grande désolation sage : « – Renvoie le coupé. J'aime mieux aller à pied. (Ils cheminent en silence. Quand ils entrent dans le parc, *le vent s'élève dans les arbres*[49]) ». – Cette grande désolation sage, du paysage même.

Nanon, je voudrais que tu penses autrement que ta sœur, que ta mère et que tout le monde ; que tu penses comme moi, ou plutôt : que tu gardes seulement, en toi tes pensées qui sont le plus pareilles aux miennes. Envoie-les-moi et je les aimerai.

J'ai aimé ta lettre ce matin. Je l'ai lue long-temps. Je l'avais sur ma table, fermée. Et j'ai voulu terminer ma toilette avant de la lire, me laver les dents et me peigner avant d'être avec ma petite enfant – et pour faire durer plus longtemps la joie de t'entendre m'appeler.

Nanon, à partir de la 3e page, je n'ai plus dit ce que je voulais dire parce qu'on m'a dérangé.

Ta lettre pneumatique m'étant arrivée comme une simple lettre, je fais une réclamation au direc-teur des Postes de la Seine.

Il vaut mieux que tu ne m'envoies pas de cartes postales.

J'irai dimanche chez la concierge.

Dis-moi si tu peux avoir Paris-Journal.

Surtout dis-moi comment tu vas, comment ta maman a trouvé que tu allais. Et profite de ces vacances pour m'écrire tout ce que tu ne peux pas me *dire*. Pour me rendre confiance.

Je t'embrasse. Entre ton nez, ta bouche et ta joue, plutôt sur les trois à la fois, je sais une place que j'embrasse.

Henri

Dis à Fernande que c'est uniquement par sa faute, et malgré mon désir de réconciliation qu'il s'est amassé de la rancune entre nous. Ne lui dis pas que souvent, dès qu'elle me parle, un peu gênée, je la revois tout d'un coup, certains affreux matins de grande pluie, en train de me dire : « Sûrement… Et puis elle l'aime, maintenant, parce qu'elle voit bien… » – Misère[50] !

LETTRE 4

[Paris] Mardi [lendemain de la précédente[51]
6 décembre 1910?]

Me voici bien fâché contre toi, ma chérie, parce que ta lettre de ce matin était toute courte et trop vite écrite. Nous avons tant de choses à nous dire, à expliquer, à régler définitivement. Penses-tu que trente lignes bâclées suffiront ?

Je devine, d'après cette lettre, que tu n'es pas encore sortie : J'exige que chaque jour, dès que ta gorge sera complètement guérie, tu ailles faire avec ta sœur une longue promenade sur la route de Lazenay, cette route qui tourne le long d'un grand mur comme le mur d'un parc.

Tu as peut-être tort de ne pas vouloir suivre, au moins un certain temps, le régime qu'on t'avait ordonné. Enfin, puisses-tu me revenir forte et heureuse et gaie comme une belle jeune femme que tu es et que j'aime.

Si tu avais été sage et gentille, je t'aurais raconté une foule de choses. Je t'aurais dit que les journaux sont encore pleins de Marguerite Audoux, les uns la complimentent bêtement, les autres l'éreintent, idiotement. Demain je t'enverrai des coupures[52].

Je t'aurais cité des passages de l'Otage le nouveau drame de Claudel[53].

Je t'aurais raconté ma dernière visite à Marie-Claire[54]. J'y allais pour cinq minutes, j'y suis resté deux grandes heures. Nous n'avons pas cessé de parler de… l'amour. Au milieu de tant de détresses et de désastres, j'admirais comme cette Marie-Claire est toujours restée droite et solide et sincère.

Elle m'a raconté ceci[55] qu'elle n'a pas mis dans son livre et qui est beau : Lorsque le père d'Henri Deslois est venu pour lui dire qu'elle ne devait pas songer à son fils, qu'elle n'était qu'une bergère, etc… elle était occupée à coudre et elle lui tournait le dos. Lorsqu'elle s'est retournée tout d'un coup, il l'a regardée longuement et il est reparti sans rien dit.

Cette vieille Marie-Claire m'a fait des compliments que je veux vous dire sans pudeur. Je lui disais une phrase qui se terminait par : « ... et sans inquiétude ! »

Elle m'a dit : « Oui, c'est une des choses que j'aime en vous, cette certitude, ce calme, cet air confiant[56]... D'ailleurs, je puis bien vous le dire, j'aime vous voir venir parce que vous me rappelez Henri Deslois et Eugène, ces jeunes gens d'autrefois et de là-bas, ces jeunes du Berry. Dans le son de votre voix aussi... On ne s'en aperçoit pas tout de suite ».

– Alors je lui ai dit que vous aussi vous aviez découvert le paysan en moi, mais le mauvais paysan fou.

Je m'étais bien promis de ne rien vous raconter aujourd'hui et je ne veux pas continuer.

Si vous aviez été bien gentille et bien appliquée à m'écrire une longue lettre, je vous aurais embrassée pendant tout l'espace qui me reste à remplir.

Henri

LETTRE 5

[Paris] mercredi 7 décembre 1910

Ma Nanon,

Je m'étais dépêché de travailler à cent choses tous ces temps derniers, pour n'avoir pas à réfléchir que vous n'étiez plus là. Mais hier au soir, à 6 heures, quand je me suis trouvé libre de si bonne heure, il a fallu, tout d'un coup, lutter contre un gros chagrin qui montait !

Je vais au concert ce soir avec tout le monde. C'est un concert de musique russe, on y donnera les mêmes mélodies russes que l'autre jour, avec en plus *La Chambre d'enfants*, de Moussorgski. Nous avions une place de trop, et on m'a demandé si je n'avais pas quelqu'un à emmener...

À chaque instant, comme quand nous étions fâchés, une offre, un billet, un livre, une invitation me font tout naturellement penser [songer] à vous donner un pauvre plaisir, et il faut que je pense vite à autre chose.

J'ai la tête lourde et vide. Ce concert va me fatiguer ce soir. Je voudrais bien être à la campagne avec toi. Nous irions dans les champs gelés, je te ferais courir bien fort après moi ; s'il y avait de l'eau, je te porterais pour la traversée – et tant pis si l'on rencontrait Marie Gimonnet.

La cheminée fume. Le feu tire mal. Je viens d'entr'ouvrir la fenêtre. Un rayon de pâle soleil est étendu sur le mur de l'hôpital[57]. Un peu de vent froid soulève le rideau, maintenant que je suis assis.

Voici revenu le temps où, au lycée de Brest[58], quand il n'y avait pas promenade le jeudi soir, les tristes enfants enfermés se disputaient pour lire l'*Almanach Vermot*. Il y en avait qui mangeaient des oranges. Je me promenais tout seul les mains dans les poches, sur le pavé de la cour étroite. Je pensais que cette année-là, il n'y aurait pas pour moi de Noël, ni de premier de l'an[59], ni d'oranges dans du papier de soie, ni de grandes courses libres dans la campagne, sur la glace, dans la neige.

Quel goût de la liberté j'avais, et quels regrets ! – Le concierge du lycée allumait son feu et ça sentait les fagots, le papier brûlé, les grands matins à la campagne, quand j'étais petit et qu'on m'habillait debout sur une chaise pour le catéchisme !

Tout replié, nu-tête dans cette cour, avec de longs cheveux dépeignés que le vent me rabattait sur les yeux, je goûtais comme cela, amèrement, tous mes souvenirs. J'aurais voulu aimer quelqu'un. Je cherchais parmi celles que j'avais connues. J'avais quinze ans. Toi aussi, et tu aurais dû être là, derrière la grille, parmi les passants rares dont on ne voyait que la tête et qu'on enviait tant d'être libres.

Ta grande faute est de n'être pas venue. Et rien ne peut faire pardonner cela. Parce que c'est une faute plus qu'humaine.

– Je veux qu'on soit assez fort, assez pur, assez près de Dieu, pour être maître de la réalité. Quand il m'arrive une bonne nouvelle ou un grand bonheur, c'est parce que j'ai été assez pur et assez haut pour que le monde m'obéisse.

Ainsi les pauvres dames de village, battues par leur mari, entourées de misères et de péchés, se sont si bien habituées à croire et à voir le monde convenable et délicieux comme leur enfance – qu'un beau jour où elles l'avaient mérité, le monde a été vraiment comme elles l'avaient imaginé.

En ce moment j'écris une histoire bien plus simple, que tout le monde comprendra. C'est une histoire de paysans que j'appellerai Le Miracle de la fermière[60]. C'est l'histoire d'un petit paysan que l'instituteur fait envoyer en pension, sur la demande du père. La mère ne veut pas, ni le petit gars non plus. Une fois arrivé à la pension, le petit s'ennuie, les autres le battent[61]. La ville est à une journée de chemin de fer. La mère ne sait pas lire, pas écrire, elle n'est jamais sortie de chez elle[62]. Pendant la nuit, une grande nuit d'octobre où il pleut, elle[63] part en carriole, reste perdue pendant deux jours, et le troisième jour revient avec l'enfant.

Il y aura dans cette histoire de beaux paysages enfantins et paysans que tu[64] aimeras.

Cette histoire est arrivée, bien entendu. Je connais les gens. Elle est arrivée parce que les paysans sont des gens droits et simples et que personne n'a le droit de déranger leur vie ni d'entrer dans leur royaume que personne ne connaît.

Cette histoire est vraie aussi parce que l'amour est capable de tout, l'amour de la paysanne pour l'enfant, l'amour que tu aurais dû avoir pour le jeune garçon emprisonné dans la cour du collège.

Cette histoire est vraie encore parce que toutes les histoires sont vraies – même celle de la résurrection du Christ. Il faut tout croire[65].

Henri

LETTRE 6

[Paris], vendredi 9 décembre 1910

Ma Nanon,

Ta lettre d'hier était bien courte et écrite au galop juste au moment de partir en promenade, mais ce n'est pas seulement pour cela que tu n'as rien eu de moi.

J'ai passé une très mauvaise journée. J'étais dans un état de dépression affreux. Tout le jour, j'ai été comme certaines nuits où je me réveille tout d'un coup, où je me pose des questions avec un remords impossible à dire.

L'impression que la vie passera et qu'on n'aura rien fait, qu'on se présentera à la fin de sa vie comme à la fin de sa journée, les mains vides, et surtout ah ! l'impression que la jeunesse est finie et qu'on n'a pas fait ce qu'on aurait dû faire – j'ai goûté cela hier amèrement, affreusement, tout le jour sous une grande averse grise qui me trempait.

Aujourd'hui c'est passé, pour un jour encore me

revoici jeune et orgueilleux et violent et riant ; la pluie a séché et voici le grand vent dur qui balaye tout, sous le soleil froid.

Qu'aurais-je pu te dire hier qui ne te fasse pas de mal ?

Comme toujours lorsque je suis ainsi, je suis resté très tard au journal, seul, m'attardant indéfiniment à écrire ce courrier avec un incommensurable dégoût.

Si quelqu'un d'ami était venu dans cette grande salle où j'étais seul[66] et m'avait posé la main sur l'épaule, sans doute je n'aurais pas pu m'empêcher de pleurer. Et quelle douleur plus grande y a-t-il pour un homme que celle d'avouer ses larmes.

Je suis resté éveillé une partie de la nuit. À un moment, j'ai rêvé que j'étais dans un champ en face de la maison de mes parents[67]. C'était la nuit et je ne reconnaissais plus la maison. Une nuit admirable, où il y avait par instant (*sic*) de grands éclats bleus et des appels. Mais j'étais enfoncé dans ce champ, effrayé et malade, j'appelais, et personne, dans la maison endormie, ne me répondait.

Ne crois pas que je me complaise dans ce désespoir, j'en ai un dégoût indicible. Lorsque ce désespoir me prenait la nuit, à Mirande[68], je me levais et je marchais de long en large dans la petite maison où j'habitais seul. Ou bien je lisais la Bible comme un vieil anglais qui va mourir.

Pourquoi suis-je devenu ainsi, moi qui étais gai, innocent et bon ? Qu'y a-t-il donc qui me fasse tant de peine ?

J'ai reçu ta lettre, ce matin, elle m'a rendu tout heureux et tout fier, mais nous aimerons-nous jamais comme il faudrait ? Je suis heureux que tu te dises si près de moi, plus près de moi que jamais, et j'en suis fier aussi. Rappelle-toi le temps où tu me disais : « Ce sont de grands mots auxquels je ne crois pas. D'abord je n'ai pas d'âme ni de cœur… »

Je t'ai beaucoup aimée, Nanon, et j'aurais voulu que tu comprennes tout ce à quoi je renonçais pour t'aimer ainsi. Je t'ai beaucoup aimée, mais j'aurais voulu que tu comprennes combien, si tu avais voulu, j'aurais pu t'aimer davantage encore.

Jamais tu n'as encore montré que tu croyais à notre amour, comme à une chose différente de tout, en dehors de tout, plus forte que tout. Les quelques fois où tu aurais pu le montrer, les trois fois, pense à ce que tu as fait ! Comme il faut que je t'aime pour vouloir encore croire en toi.

Depuis ce matin je travaille. Mon « Miracle[69] » est à peu près terminé. – J'ai montré ce matin la Fermière au milieu de la ferme qui est son royaume et le petit paysan dans son domaine qui est à lui, errant pendant les après-midi de jeudi, comme j'errais autrefois dans la campagne, maître du monde, beau petit paysan que j'étais, avec une blouse noire boutonnée par devant et un grand col blanc.

Hier, on m'a dit quelque chose qui m'a fait plaisir. Le Cardonnel[70] avait été dans une soirée où il avait fait la connaissance d'un jeune homme élégant et réservé. Le nom d'Alain-Fournier ayant été prononcé dans la conversation, ce jeune homme est devenu tout rouge de plaisir et a dit : « Ah ! vous le connaissez ! J'aime tant ce qu'il a écrit dans *l'Occident*[71] etc. etc… » – Ce qu'il y a de passionnant dans le fait d'écrire et de publier qq chose c'est de pouvoir se dire : peut-être, quelque part, un homme ou une femme que je ne connais pas que je ne connaîtrai jamais, seront touchés par ce que j'écris là.

Ce simple petit mot de Le Cardonnel hier avait suffi à me redonner courage.

– Dubois[72] venant seulement de me payer, je n'irai chez Mme Vastier que demain : Je vous enverrai le livre pour votre dimanche.

– Bichet[73] qui a 48 heures de permission m'écrit pour me demander s'il pourra passer demain matin rue Chanoinesse[74] !!

– J'aurai d'autres places pour le cinéma.

– Tes douleurs doivent venir de ce que tu as encore un peu d'albumine, il faut être sérieux et suivre le régime qu'on t'a imposé. Je ne veux pas que tu te fatigues trop après ta petite nièce.

Oui l'affaire Gide[75] est à moitié arrangée. Tout le monde lui a donné tort. – C'est bien cela *L'Effort,* tu as bonne mémoire. Je ne cherche pas à gagner La Revue bleue[76] puisqu'on me l'envoie régulièrement depuis un mois.

J'ai encore mille choses à te dire sur Péguy, etc. Fais comprendre à ta maman, sans le lui dire, que je l'aime beaucoup. –

– Ma Nanon, je t'aime.

Henri

(Bien entendu, je ne considère pas le courrier comme étant quelque chose d'écrit par moi[77]).

Tu reviendras comme tu es partie, vilaine, c'est-à-dire quand cela te dira[78].

LETTRE 7

[Paris] 11 décembre [19]10

Je vous ai beaucoup désirée, chérie, tout le long de ce dimanche. J'ai tant pensé à vous, je me suis tellement torturé à votre propos que je suis abattu, ce soir.

Car c'est le soir, maintenant. Je suis seul dans la salle à manger auprès d'un feu qui dure depuis des heures. La lampe, auprès de ma tête, est allumée mais on n'a pas fermé les volets. Et dans les petits carreaux de la grande fenêtre, entre les rideaux, on aperçoit la maison d'en face que la nuit rend toute bleue.

Là[79], dans cette maison, tout près, des lampes rouges sont allumées aussi. Il y a des familles qui viennent de rentrer ou qui terminent gaiement leur dimanche. Lorsque j'étais soldat ou collégien, que j'avais, toute une semaine, désiré le dimanche, et que vers six heures comme aujourd'hui je sentais la nuit venir, et le dimanche s'en aller, ah! comme j'aurais voulu le serrer contre mon cœur, le retenir encore pour lui demander la joie qu'il ne m'avait pas donnée.

Aujourd'hui mon dimanche s'en va et je ne pense même pas à en avoir regret. Je le laisse aller sans rien demander parce que je sais bien que je ne mérite rien.

Mais je me rappelle le temps où, dans un salon de campagne, les dimanches soir étaient de longs paradis silencieux. Les dames jouaient du piano, tandis que les enfants, assis sur des tapis épais, feuilletaient de grands livres pleins d'aventures et de noëls. Les petites filles avaient alors des toques de loutre ; et quand elles avaient fait tomber des mies de pain, à quatre heures, elles les ramassaient soigneusement. Pour regarder les images, pensivement elles appuyaient leur joue chaude contre la mienne.

C'était un petit salon enfoncé, au coin de la maison, au croisement des deux routes du village[80]. À la tombée de la nuit, parfois un homme passait à la hauteur de la croisée, silencieusement, sans qu'on entende le bruit de son pas. Il semblait être d'un autre monde[81].

Une partie de ma vie se passe dans cet autre monde. Un monde plein d'imaginations et de paradis enfantins. Ceux qui me connaissent très bien savent cela. De plusieurs femmes, déjà, j'ai pensé qu'elles sauraient y partir avec moi. Mais aucune n'a jamais su.

Je suis fatigué, ce soir. J'ai cherché tout le jour des *échos* pour arrondir ma « quinzaine » qui sera maigre encore[82] et je n'ai rien trouvé. Il est 5 h 1/2 ; mon courrier n'est pas encore fait. Je vais courir au journal.

Après-demain, dans trois jours au plus tard, le *miracle* sera terminé. À l'heure qu'il est je puis le faire passer où je voudrai.

Hier après avoir feuilleté une revue dirigée par un jeune homme que je ne connais pas et dont je n'ai jamais parlé nulle part – je regarde machinalement le dos de la revue et je vois :

« Lisez[83]

« Tous les matins dans Paris-Journal[84], le

« Courrier Littéraire d'Alain-Fournier,

« etc.

– Mais le moindre mot sur ce que j'écris sincèrement, avec mon cœur, ailleurs que dans un journal, me touche bien davantage. Et jusqu'ici je n'ai pas pu écrire grand-chose, mais attendez un peu.

J'ai aimé, Nanon, ta lettre de ce matin.

Si je souffre souvent et si je rumine tant de choses c'est que je ne puis me contenter d'un mot et qu'une phrase générale, un mot de pardon *général* ne peut me satisfaire ni m'apaiser.

Ce qu'il y a d'original et de spécial en moi c'est que je vois tout en détail, j'imagine tout en détail ; tout pour moi est particulier. Les fautes que je te reproche, je ne puis pas les juger d'un mot. Parce que je te vois, toi, Nanon, à telle heure, à tel endroit, arrivant à tel rendez-vous et disant telle parole.

Et lorsque pour te défendre tu ne me dis qu'une phrase générale, cela ne me suffit pas. Lorsque je t'interroge sur des détails, il faut me répondre par des détail (*sic*).

Et lorsque je ne te parle plus de rien, patiente, chérie, attends et ne dis rien.

Encore un mot pourtant : Crois-tu que lorsque j'ai dit : « je tâcherai de vous oublier », le moyen de me ramener à toi[85] c'est de partir. Quand je dis : « je ne crois pas en toi », penses-tu que le meilleur moyen de me donner cette confiance ce soit de retourner au passé – c'est-à-dire à des gens dont on a honte de dire le nom – comme tu l'as fait aux vacances et au mois d'octobre[86] ?

Si les lettres de décembre sont tendres, cette sta-bilité ne dure pas. Le 16 février 1911 Alain-Four-nier écrit à son ami René Bichet :

J'ai quitté Jeanne il y a huit jours, sans brus-querie, avec amitié, mais dans un sursaut de jeu-nesse qui était peut-être un sursaut de pureté.

Depuis ce temps je marche à travers la ville comme un jeune dieu.

Jusqu'à quand ?

Plus aucune lettre (ou brouillon) à Jeanne n'a été retrouvée. Alain-Fournier fera encore allusion à son amie ponctuellement dans quelques lettres.

Le 8 novembre 1911 il écrit ainsi à André Lhote :

« Il y a exactement trois mois que Jeanne et moi nous nous sommes séparés, en pleurant. Vous savez, comme Titus, *invitus invitam dimisit*[87]. Mais moi je ne sais pas s'il y aura un royaume pour me récompenser. Je pense souvent à elle comme à un des êtres les plus intelligents et surtout les plus tragiques que j'aie rencontrés de ma vie. Mais n'allez pas la voir quand vous viendrez. Vous me désobligeriez beaucoup et elle aussi sans doute. »

La réconciliation n'eut lieu qu'au début de l'année 1912. Le 5 avril, Alain-Fournier écrit à Jacques et Isabelle Rivière :

« Jeanne a été profondément touchée du mot que Jacques avait écrit pour elle. Je la vois quelques instants par jour, seulement, à cause de son travail de Pâques et du mien. »

Au début du mois de mai, l'écrivain devient secrétaire de Claude Casimir-Perier. Il rencontre son épouse, l'actrice Simone qui deviendra sa maîtresse en juin 1913. La relation avec Jeanne s'acheva durant ce printemps 1912 en douceur, semble-t-il.

En août 1912, Jeanne, ayant besoin d'aide pour payer son loyer, réécrit à son ancien amant. Le versement de son salaire par Claude Perier étant retardé, Fournier demande à Jean-Gustave Tronche de lui avancer la somme de 66 francs. Il ajoute : « Je ne vous demanderais pas ceci mon cher Gustave, s'il s'agissait de quelque aventure frivole, mais, comme vous le savez, il y a là pour moi, autre chose qu'un amour, une amitié pleine de gravité et souvent de tragique. » [Lettre inédite du 17 août 1912 mise en ligne sur le site http:www.jeangustavetronche.fr]

Environ un an et demi plus tard, Alain-Fournier croira la voir une fois de loin, dans son quartier avant de s'apercevoir qu'il a fait erreur. Il notera le fait dans son agenda. Ultime mention de la « pauvre Jeanne ».

LETTRES ET TEXTES RELATIFS
À LA LIAISON ENTRE ALAIN-FOURNIER
ET JEANNE BRUNEAU

DOCUMENT 1

Alain-Fournier emmena Jeanne à Orgeville, dans l'Eure, chez André et Marguerite Lhote. Ces derniers vivaient à la Villa Médicis libre, résidence d'artistes fondée par le juge et philanthrope Georges Bonjean. Lors de ce séjour, du 22 au 28 juin 1910, le couple se querella. La lettre aux Lhote fait référence à cet épisode raconté dans « La Dispute et la nuit dans la cellule » (document 2).

ALAIN-FOURNIER
À ANDRÉ ET MARGUERITE LHOTE

Dimanche matin [3 juillet 1910]

Mes chers amis,

Nous sommes bien coupables de ne pas vous avoir écrit plus tôt. C'est que nous sommes restés quatre jours si désemparés, si tristes, que nous n'avons pas eu le courage de vous faire la lettre promise. Il nous semblait que c'eût été l'adieu définitif au beau pays de notre bonheur.

Lorsque je revenais de chez mes oncles de Nançay[88], qui est un pays de chasse, de châteaux, de brume et de promenades, je songeais si désespérément au beau pays de mes vacances finies que mes cousines disaient : « Je ne sais pas ce qu'il a. Il est tout mousse. »

Voilà : nous sommes tout mousses depuis quatre jours ; et depuis le retour en chemin de fer, nous évitons de parler de nos vacances, tant cela nous fait peine d'y penser.

Cependant j'ai beaucoup à vous remercier.

Je remercie André d'avoir tant admiré la pauvre petite Jeanne et d'avoir fait trois petits tableaux où elle est assise, au bord de la vallée, et penche la tête avec inquiétude.

Je remercie Marguerite de l'avoir embrassée, de lui avoir donné du pain et du cidre et de lui avoir fourni les linges qu'il faut aux femmes.

Je n'oublierai pas ce Samedi soir où Jeanne, marchant devant, auprès de Marguerite, s'est retournée pour sourire, tant elle était heureuse.

Ainsi, autrefois, les dames de Sully-sur-Loire ou de La Chapelle-Aimée, par les belles après-midi de Juillet, formaient un petit groupe qui marchait loin devant les hommes. Mais parfois l'une d'elles ne pouvait pas supporter davantage le secret de son bonheur, et, la tête par-dessus l'épaule de sa compagne, elle souriait en arrière.

Je n'oublierai pas non plus le jour où la pauvre petite Jeanne s'est évanouie parce que je lui avais jeté des pierres « comme un pauvre petit chien malade ». Nous l'avons couchée, toute glacée, et c'est André seulement en frottant les couvertures, qui a pu la réchauffer, parce qu'il était à ce moment-là son seul ami.

Pour tout cela et pour bien d'autres choses je vous remercie infiniment.

Peut-être aussi faudrait-il que je vous demande pardon : mais puisque certainement je ne me marierai jamais, je ne me crois pas coupable.

[...]

Je vous écris étouffé de tristesse. Je me rends compte qu'en aimant une femme telle que la pauvre petite Jeanne, j'ai tenté une chose qui est au-dessus de mes forces. Je la rends affreusement malheureuse et je mène moi-même une vie de tourments continuels. Il va falloir rompre un jour – peut-être ce soir, peut-être demain. En aurais-je le courage ?

Je vous récrirai pour vous demander en grâce de ne pas aller chez elle, si nous sommes définitivement séparés.

Je vous aime beaucoup tous les deux. Que Marguerite supporte sans faiblir les reproches de son époux et continue sans se lasser de lui faire de

bonne cuisine. C'est peut-être là le secret du bonheur.

Vous êtes heureux.

Henri

Je voudrais savoir écrire comme mon Henri
pour vous dire[89]

Ici longue discussion et dispute : Jeanne prétend
ne rien savoir dire et voudrait que je lui dicte.
Larmes feintes. Colère également feinte. Elle
promet d'écrire demain quelque chose sur une
page séparée et que je ne verrai pas – dont acte.

DOCUMENT 2

LA DISPUTE ET LA NUIT
DANS LA CELLULE

Ce texte a été publié pour la première fois en 1924 dans le recueil posthume Miracles.

L'après-midi commença mal. Sur une pente couverte de bruyères, elle voulut par jeu, tant elle se sentait enivrée de bonheur, se laisser dérouler en poussant de petits cris ; mais le vent s'engouffra dans sa robe et lui découvrit les jambes. Meaulnes l'avertit rudement. Elle tourna deux ou trois fois encore, en essayant vainement d'aplatir à deux mains l'étoffe ballonnée ; puis elle se redressa, toute pâle, sa gaieté finie, et elle descendit la pente en disant :

« Je sais bien, je sais bien que je ne peux plus faire l'enfant… »

On entendait à quelque distance, derrière les genévriers, une dispute basse, assourdie, entre

leurs amis, le mari et la femme. La soirée avait
un goût amer, le goût d'un tel ennui que l'amour
même ne le pouvait distraire... Les deux voix
s'éloignèrent, âpres, désespérées, chargées de
reproches. Meaulnes et Annette restèrent seuls.

À mi-côte, ils avaient découvert une sorte de
cachette entre les branches basses et des genévriers. Étendu sur l'herbe, Meaulnes regardait
pensivement Annette qui s'inclinait vers lui pour
lui parler. C'était un jour semblable à bien des
jours pluvieux, où seuls à travers la campagne,
il avait imaginé près de lui son amour abrité sous
les branches. Aujourd'hui comme alors, le vent
portait des gouttes de pluie et le temps était bas.
Aujourd'hui comme alors, couché sur l'herbe
humide, il se sentait mal satisfait et désolé; et il
regardait sans joie ce pauvre visage de femme
que le reflet vert de la lumière basse éclairait
durement.

Annette, elle, parlait de son amour : « Je voudrais, disait-elle, vous donner quelque chose ;
quelque chose qui soit plus que tout, plus lourd
que tout, plus important que tout. Ce serait mieux
que mon corps. Ce serait tout mon amour. Je
cherche... » Et à la fin, en le regardant fixement,
d'un air anxieux et coupable, elle sortit de la
poche de sa jupe un paquet de lettres tachées de
sang qu'elle lui tendit.

Ils marchaient maintenant sur une route étroite,

entre les pâquerettes et les foins qu'éclairait obliquement le soleil de cinq heures. Meaulnes lisait sans rien dire. Pour la première fois, il regardait de près le passé d'Annette auquel il s'était efforcé jusqu'ici de ne jamais songer. Il y avait sur ces feuilles jaunies l'histoire de tout un amour misérable et charnel ; depuis les premiers billets de rendez-vous jusqu'à la longue lettre ensanglantée qu'on avait trouvé sur cet homme quand il s'était tué, au retour de Saïgon.

Meaulnes feuilletait... Le grand enfant chaste qu'il était resté malgré tout n'avait pas imaginé cette impureté. C'était, à cette page un détail précis comme un soufflet ; à cette autre une caresse qui lui salissait son amour... une révolte l'aveuglait. Il avait ce visage immobile, affreusement calme, avec de petits frémissements sous les yeux, – cette expression de douleur intense et de colère, qu'on lui avait vu à la Colombière, un soir où un fermier qu'il aimait beaucoup l'avait attendu pour l'insulter.

Annette, atterrée, voulut s'excuser, expliquer, et ne fit qu'exaspérer sa douleur. Il lui jeta le paquet de lettres, sans répondre, et, coupant à travers champs, se dirigea vers le village en haut de la côte. Elle voulut l'accompagner, lui prendre la main, mais il la repoussa brutalement.

« Allez-vous-en. Laissez-moi. »

Là-bas, dans la vallée, au tournant de la route,

trois paysans qui rentraient au village regardaient ce couple soudain séparé, cette femme qui suivait craintivement, de loin, un jeune homme fâché qui ne se retournait pas.

En montant à travers un grand pré fauché, il regarda en arrière, au moment même où Annette se cachait derrière un tas de foin. Sans doute elle s'était dit : « Il me croira perdue et sera bien forcé de me chercher. » Elle dut attendre là, le cœur battant, une longue minute ; puis il lui fallut sortir de sa cachette et renoncer à son pauvre jeu, puisque François se donnait l'air de n'y avoir pas pris garde.

Cependant il se sentait pour celle qu'il punissait ainsi une pitié affreuse. C'était là son plus dangereux défaut : le mal qu'il faisait à ceux qu'il aimait lui inspirait tant de douloureux remords et de pitié qu'il lui semblait se châtier lui-même, en les faisant souffrir. Sa propre cruauté devenait ainsi comme une pénitence qu'il s'infligeait. Bien des fois, il avait poursuivi sa mère ou son ami le plus aimé de ses reproches si sanglants, si déchirants qu'il était lui-même prêt à éclater en sanglots. C'est alors qu'il souffrait. C'est alors qu'il était bien puni. C'est alors qu'il était impitoyable...

Annette marchait, à présent, dans un contrebas, parallèlement à lui. D'un geste mol et méprisant, il se mit à lui lancer, tout en avançant, de la terre durcie qu'elle prit pour des cailloux. Il semblait la choisir pour cible simplement parce qu'elle se trouvait là comme une chose qu'on a jetée, dont personne ne veut plus. Puis il parut se piquer au jeu. On eût dit, à la fin, qu'il cherchait à l'atteindre par dégoût, pour se venger du dégoût qu'elle lui inspirait... Annette cependant, ne s'arrêtait pas de grimper péniblement la colline. Elle, si peureuse, elle ne cherchait pas à éviter les coups – mais, par instants, elle tournait un peu sa figure toute pâle et regardait de côté celui qui lui lançait des pierres.

Elle s'engagea enfin dans un sentier qui conduisait chez Sylvestre, tandis que Meaulnes traversait un pré où des petites filles cueillaient des fleurs. Elles s'arrêtèrent un instant et levèrent la tête pour lui dire, tout affairées :

« C'est pour votre dame, Monsieur... »

Une fois rentré, il écouta longtemps leur amie qui causait paisiblement dans une salle voisine. Il songeait : « Nous allons partir. Je veux partir demain matin, ce soir. » Puis il se fit dans la salle à côté un brusque silence, et Mme Sylvestre, effrayée, vint lui dire qu'Annette était évanouie.

Il la trouva assis auprès d'une fenêtre, la tête tombée, toute blanche.

Quand on l'eut déshabillée et couchée dans le petit lit de fer, elle se prit à dire en grelottant : « Je suis un petit chien. Je suis un petit chien, un pauvre petit chien malade. » Et Meaulnes fut le seul à comprendre pourquoi elle disait cela.

Il lui expliqua tout bas qu'il ne lui avait pas jeté des pierres. Elle ne répondit pas. Et vainement il tenta de la réchauffer en la couvrant d'oreillers. Elle restait glacée, immobile. Et seul, le vieux Sylvestre, en lui frottant les mains, parvint à lui donner un peu de chaleur, parce qu'il était, ce soir-là, son seul ami.

À la tombée de la nuit, on vint dire à Meaulnes qui dînait rapidement qu'Annette avait peur et le réclamait. Très tard, assis auprès d'elle, il lui tint compagnie en silence. Puis il se coucha.

Pour la première fois ils passaient la nuit dans cette grande cellule. Ils se trouvaient enfoncés dans le lit étroit de la religieuse, tous les deux, le garçon et la fille, le mari et la femme. Malgré leurs griefs, leurs corps, comme ceux de deux amants, étaient, dans l'obscurité serrés l'un contre l'autre. Et le drame recommença, plus secret, plus pénible que la dispute de l'après-midi. Ils ne se parlaient pas. Annette, sur le point de s'endormir, disait de temps à autre, d'une voix basse et brève : « François[90] ! » et cela ressemblait à la fois à un appel bien tendre et à un cri de frayeur involontaire. Meaulnes, pour la calmer, lui serrait le bras, sans répondre.

Une odeur, aigre d'abord, puis fade et écœurante, montait du corps immobile d'Annette s'épaississaient entre les rideaux – odeur de sang corrompu, de femme malade… Meaulnes, éveillé, ne savait plus maintenant si son dégoût était pour cette misère, cette misère physique qui lui soulevait le cœur, ou pour les amours coupables de sa compagne.

« Je vais me lever », dit-il soudain, en se dressant sur un coude.

Annette comprit. D'un ton de lassitude infinie, elle dit :

« C'est moi qui me lèverai. Voyez, vous ne pouvez pas souffrir une femme auprès de vous. Vous ne pouvez pas endurer une femme… »

Il hésita un instant, puis il la retint :

« Ah ! misère, misère, dit-il d'une voix sourde. Tu sais bien que je t'aime ; que je t'aime, femme ! que je t'aime, pauvre femme !… »

Et il serrait contre lui avec fureur l'enfant malade et effrayée.

DOCUMENT 3

Il s'agit de trois pages de notes inédites[91] *sur Jeanne Bruneau conservées avec la liasse de lettres à la jeune modiste.*

Phrases
Je n'oublierai pas ce kiosque désert où nous entendions les soirs, la musique sentimentale des tziganes, tandis qu'auprès de moi la femme que j'aimais songeait à des souvenirs que je ne connaissais pas.
Après-midi de dimanche[92].
Sur le canal désert, qui s'enfonce dans la campagne d'été, je promène ma bien-aimée en barque et elle n'a pas peur... Mais parfois, tandis que je rame lentement son regard se pose et s'appuie sur moi, avec tant de confiance et de sécurité.

Elle aurait pu être une femme, ma femme. Elle aurait semblé la sœur aînée de ses petites filles. Penchée sur la table, à l'heure de midi, au milieu des enfants, elle aurait toujours eu l'air de présider une dînette.

L'autre soir, au bois, son beau visage d'enfant passionnée était enfoncé sous ses cheveux et dans son chapeau comme dans une capote. Par instants, je lui retrouvais lorsqu'elle était fâchée, son air du premier jour de notre rencontre, cet air coupable…

Je parlerai de tous ses gestes, des plus innocents comme des plus coupables.

C'est une enfant tourmentée que tout blesse et les mots[93] plus délicats lui font encore mal.

Je suis un enfant tourmenté et pendant tout un jour souvent, je me répète secrètement, amèrement, une phrase qui m'a fait du mal.

Je me suis répété ainsi celles de la femme que j'aime :

– Ma bien-aimée est auprès de moi et, en parlant d'un autre homme elle dit : « Mon ami… »

– Ma bien-aimée dit : « Qu'il y en a des hommes à qui j'ai fait croire que je les aimais !! »

– Ma bien-aimée me dit : « Que mon ami vienne me voir les soirs et je ne sortirai plus avec vous… »[94]

DOCUMENT 4

Ce document et le suivant sont à mettre en parallèle avec la lettre 2 adressée à Jeanne, comme deux versions de la même situation. En effet, les confidences faites à Isabelle et Jacques Rivière montrent bien qu'Alain-Fournier avait conscience de sa cruauté envers sa compagne tout en étant capable de la justifier au nom de son désir d'absolu et de son souhait de sauver Jeanne.

HENRI FOURNIER À ISABELLE RIVIÈRE

La Chapelle-d'Angillon
mardi 13 septembre 1910[95]

Ma chère petite sœur,
Tu me demandes de t'écrire. Cela me décide à te raconter plusieurs choses. Peut-être aurais-je dû te les confier plus tôt. Tu m'aurais été sans doute d'un grand secours.

J'ai beaucoup souffert durant ces vacances. Je me suis décidé à rompre avec cette femme que tu connaissais, Jeanne Bruneau[96], qui était depuis trois mois mon amie.

Dès que nous nous étions aimés, elle avait tout abandonné pour moi. Elle a vécu, certains jours, avec douze sous, pendant la morte-saison. Elle ne mangeait jamais de desserts, pour économiser davantage.

Elle avait eu, il y a quelques années, des amants. Un homme s'est tué pour elle. Elle avait été légère, méchante et capricieuse : pour moi, elle se mettait à genoux dans la cuisine et lavait les carreaux.

Lhote avait pour elle une véritable passion d'amitié. Il y avait en elle quelque chose d'enfantin et de tragique à la fois qui passionnait. Je ne crois pas avoir jamais eu pour elle un grand amour, mais un attachement violent.

Elle était très belle, extraordinairement intelligente. Elle avait presque toutes les meilleures qualités.

Sauf la pureté. C'est pourquoi je l'ai tant fait souffrir. Quand j'y repense, maintenant, je me demande comment elle a pu supporter aussi longtemps tout ce que je lui ai fait endurer. Elle ne se fatiguait jamais de mes cruels reproches, de ma cruelle insatisfaction, de mon cruel désir de pureté.

Je l'ai quittée cinq ou six fois, pendant un jour, cinq jours, huit jours. Je partais sur un mot qu'elle avait dit, sur un souvenir qu'elle avait eu. Puis elle me suppliait de revenir et je revenais.

À la longue cependant, elle avait fini par se persuader qu'un jour je l'abandonnerais, définitivement. Un soir, après des injures que je lui avais dites, elle a eu, comme cela lui arrivait, un accès de demi-somnambulisme.

Elle a écrit, après mille efforts : Puisque vous me laissez, je retourne avec l'autre. Je ne vous ai jamais aimé. – Et elle pleurait, affreusement.

Or, c'est à peu près ce qui s'est produit dans la réalité. Je l'ai abandonnée trois semaines et j'ai lutté comme un damné pour ne pas la revoir, ni lui écrire. Peut-être à la longue aurais-je faibli. J'étais ici, seul, tourmenté, perdu d'ennui. J'avais mal choisi mon moment. Mais elle a fait enfin ce que je souhaitais qu'elle fît, car autant que moi peut-être elle avait le goût de l'irréparable et d'un certain héroïsme. Elle est retournée avec un pauvre garçon qui ne demandait qu'à la reprendre et elle m'a écrit : « ... J'ai tout repris sans seulement me souvenir de vous... »

Pour la dixième fois peut-être j'organise ma vie comme certains soirs de mon enfance. – Ce soir-là j'avais fait une tache sur une page longuement travaillée et je me disais : «Ma foi, j'aimerais autant que mon père déchire la page, et je la recommencerais». – Mais quand il est venu et qu'il l'a déchirée, ç'a été une crise de sanglots et de désespoir.

Tel est, en ce moment, mon genre de satisfaction[97].

———————————

J'étais si seul, si désolé, ici, pendant les premiers jours, qu'un matin j'ai tout raconté à Maman. J'ai amené cela de loin. Je lui ai reproché de ne pas nous avoir assez compris autrefois, de ne pas soupçonner par exemple quand nous avions tant le désir d'aller à Nançay. Et puis je lui ai raconté comment j'avais eu le courage de me séparer de toutes les jeunes filles que j'avais connues.

C'était un matin, nous étions à ce moment bien loin sur la route. Elle m'a dit après un silence :

– Et cette jeune fille que tu connaissais ces temps derniers, tu l'as laissée aussi ?

– J'ai dit : oui.

– Alors, tu n'as plus personne, maintenant ?

– J'ai dit : non, en fondant en larmes et quand je me suis retourné vers Maman, elle avait la figure tordue, toute vieillie par les sanglots. Je l'ai consolée. Je lui ai parlé un peu de la jeune fille. Et depuis ce temps nous n'en avons jamais plus rien dit[98]. Seulement elle me force à manger, à boire, elle vient en promenade avec moi et nous marchons sans reprendre haleine.

———————————

Pourtant au fond quelle joie secrète, quel renouveau. Comme je suis jeune. Lhote, que les circonstances m'ont obligé à mettre au courant, plaint « la pauvre Jeanne » et dit :

« Que c'est triste de ne pouvoir gaspiller tout son amour, dépenser toute sa jeunesse. Si Gustave [Tronche] avait voulu mesurer sa vie, quels regrets aurait-il ! »

Mais comment pourrais-je gaspiller mon amour, tandis que quelque part ma femme m'attend si anxieusement, si ardemment.

[...]

Avant de cesser de parler de tout cela, je veux que ceci te soit bien assuré : Je n'ai jamais été, dans cette histoire, *perdu* comme on a pu le supposer. Quand je rentrais tard le soir c'était bien neuf fois sur dix pour le journal.

[...]

DOCUMENT 5

Alain-Fournier vient de rentrer à Paris, sans encore être réconcilié avec Jeanne à l'égard de laquelle il est sévère tout en gardant une part de tendresse teintée de pitié, ambivalence qu'il cultivera durant toute leur liaison.

HENRI FOURNIER
À JACQUES ET ISABELLE RIVIÈRE

Paris, mercredi 28 septembre 1910

[...]

Je raconterai sans doute dans mon livre, le dimanche où j'ai mené celle que j'appelle « Annette » à la chapelle de la Rue Madame. Comme ce fut lamentable. Comme elle m'en voulait. Je ne pourrais être que son péché. Idée *insupportable*.

– Bien qu'il y ait maintenant entre elle et moi une haine féroce – et je la ferais mettre à la porte, si elle se présentait chez moi – je vous parlerai quelquefois d'Annette avec beaucoup de pitié.

– Cette nuit, je l'ai revue dans un costume que j'avais oublié. Avec une collerette amidonnée, l'air d'un pierrot coupable. Devant une petite maison de banlieue, elle s'occupait à ramasser quelque chose, avec des enfants. Comme jadis, elle avait cette façon insupportable d'exagérer son air enfantin, pour se bien persuader qu'elle n'avait pas de remords. – Je l'apercevais d'un train, sans qu'elle me voie, un train qui ne s'arrêtait pas.

[...]

– Ce qui fait que j'ai quitté Annette, c'est, en gros, ceci : je ne me soucie pas d'une maîtresse, je cherche l'amour. L'amour comme un vertige, comme un sacrifice et comme le dernier mot surtout. La chose après quoi plus rien n'existe. Le départ, après avoir mis le feu aux quatre coins du pays.

Elle voulait quelqu'un avec qui vivre le plus longtemps possible. Et on se serait fait des concessions réciproques !

– À côté de cela elle disait : J'ai tout quitté, tout sacrifié pour vous, et je suis sûre que vous allez me laisser ! Mais qu'est-ce que ça peut me faire ? Puisque vous m'avez aimé un jour, huit jours, un mois... – Alors, comme dit Péguy, alors je sentais qu'elle venait de dire *quelque chose* ! et cela m'attachait pour encore huit jours, un mois...

– Seules, les femmes qui m'ont aimé, peuvent savoir à quel point je suis cruel. Parce que je veux tout. Je ne veux même plus qu'on vive dans cette vie humaine. Vous voyez d'ici le héros de mon livre, Meaulnes

Et pourtant celle qui voudrait, celle qui saurait se détacher, celle-là connaîtrait ma bonté, celle-là connaîtrait le bonheur.

– Une femme[99] est passée un jour qui m'a détaché, moi. Qui m'a tout pris, à moi. C'est pourquoi aussi, maintenant, il faut tout qu'on me donne.

Il est curieux de se dire qu'à bien regarder ma façon d'aimer et de vouloir être aimé, le mariage est une chose impossible et pourtant la seule solution.

– Il y a aussi des moments où je me dis que tout le monde est comme moi. Seulement je suis *ainsi* au paroxysme.

– Ma seule façon d'être sage, Jacques, la formule de ce matin : « *Voir ce qu'indiqueront les événements.* » À un moment donné, je dispose tout en équilibre instable de façon à ce que l'événement (le plus minime) fasse pencher la balance.

En laissant Annette trois semaines sans lui répondre, je l'exposais au désespoir, au renoncement, à la peur, et au désir de retourner avec son amant de tout repos. Tout cela ne se serait pas produit si ç'avait été l'amour que je désire, le

seul dont je veuille. Tout cela s'est produit. Ma
sagesse a été de laisser les événements parler, de
leur donner la parole.

[…]

Cette lettre déposée directement chez le couple Rivière éclaire le comportement de Jeanne en septembre, quand elle fit croire à son amant qu'elle avait repris ses aventures d'autrefois (lettre 2).

HENRI FOURNIER
À JACQUES ET ISABELLE RIVIÈRE

Mercredi soir [19 octobre 1910]

De nouveau, je souffre et je suis malheureux.

Je vous tiendrai ainsi au courant, en quelques mots, des principaux événements de ma vie, pour vous montrer que je suis encore près de vous.

Voilà : cette femme est revenue. Elle m'a attendu, sur un banc de l'avenue, un soir, deux soirs, dix soirs. Elle disait : « Le temps n'est pas long quand on est sûr que celui qu'on attend ne viendra pas. » Une fois, elle s'est endormie…

Je l'ai enfin rencontrée. Je commençais à l'oublier mais lorsque je l'ai revue, hagarde, j'en ai eu pitié. Je l'ai repoussée, pourtant.

Alors elle m'a écrit que toute son histoire des vacances était une comédie – héroïque – pour arriver à une séparation nécessaire et à la fin de notre amour pénible, mais qu'elle n'avait pu aller jusqu'au bout, manque de force. Je l'ai crue, parce qu'elle me donnait des preuves. Pendant un jour, j'ai été très heureux. Je pensais avoir enfin trouvé un amour et une femme.

Mais dès le second jour, j'ai vu qu'elle ne m'avait pas dit toute la vérité. Il y avait une correspondance – amicale – entre elle et son ancien individu. Surtout, surtout, je sentais que cet amour ne me satisfaisait pas plus qu'avant et que, si je continuais, j'étais pour toujours perdu et malheureux. Alors, j'ai fait la grande expérience, j'ai eu la grande cruauté. Je l'ai abandonnée, elle et sa sœur, la veille du terme, alors que je les savais trop pauvres pour pouvoir le payer. À ses supplications écrites de revenir, j'ai répondu une lettre insultante.

Alors depuis trois jours, elle est retournée avec le pauvre individu[100] qu'elle avait mis deux fois à la porte. Je l'ai su par sa sœur ce matin. C'est fini.

Je souffre.

Je vais travailler.

Je veux, je veux me sortir de là.

Mais qui sait si les fleurs nouvelles que je rêve – trouveront dans ce sol lavé comme une grève[101]*...–*

Henri

DOCUMENT 7

Comme il l'explique dans la lettre à Jacques et Isabelle Rivière (document 6), Alain-Fournier a refusé d'aider les jeunes femmes à payer leur terme. Jeanne lui a dit qu'elle allait renouer avec un ancien amant pour trouver l'argent nécessaire. Cette lettre répond à un échange avec Fernande, la sœur de Jeanne qu'Alain-Fournier n'aimait guère et réciproquement.

À FERNANDE BRUNEAU

[Paris] 20 octobre 1910

Maintenant que tout est fini, maintenant que je ne la verrai jamais plus, je tiens à vous dire, à vous, Fernande, qui m'avait traité de *mufle,* et à Jeanne qui ne m'a pas compris non plus, les raisons de ma conduite.

Ou plutôt, je veux simplement vous envoyer

ce mot où mon frère appelle « épouvantable courage[102] » ce que vous avez pris pour de la muflerie.

Je veux que vous sachiez que tout cela ne fut qu'une dernière expérience, une façon de savoir si celle que j'aimais était digne de mon amour, si elle ne braverait pas tout, si elle ne passerait pas par-dessus tout ; si elle n'allait pas venir me dire toute la vérité ou si, au contraire, elle allait se donner à un autre pour cent vingt-quatre francs.

Si Jeanne avait résisté à cette expérience, je sais ce que j'aurais fait… (Je le lui avais fait pressentir, d'ailleurs) et tout le monde m'aurait approuvé.

Elle n'y a pas résisté. Et jamais je ne la reverrai plus. Je puis donc lui dire, maintenant, que j'ai fait tout cela non pour me jouer d'elle et la faire souffrir, mais pour me prouver à moi-même que je n'avais pas trouvé *l'amour*.

Pour obtenir cette preuve, j'ai torturé une femme, je l'ai même injuriée, je l'ai soumise à une épreuve terrible, elle qui était un petit être faible, peureux et sans défense. Mais j'ai souffert autant qu'elle : et je lui demande pour cela, de me pardonner comme je lui pardonne.

Adieu.

Henri.

Ne me répondez pas. Je ne vous dis pas cela par orgueil et par fanfaronnade. Mais simplement, humblement, je vous demande que, tout étant fini, nous ne sachions plus jamais rien l'un de l'autre[103].

NOTES

1. Henri Fournier à René Bichet (voir note 73), 4 octobre 1910, in *Lettres au petit B.*, Fayard, 1986, p. 223.

2. Henri Fournier à Jean-Gustave Tronche, septembre 1910, in *Lettres à sa famille et à quelques autres*, Fayard, 1991, p. 619.

3. Pauline Benda (1877-1985), actrice sous le nom de Simone. Elle mena une carrière théâtrale puis littéraire. Elle est notamment l'auteur d'un livre de mémoire, *Sous de nouveaux soleils* (Gallimard, 1957), dans lequel elle raconte sa liaison avec Alain-Fournier.

4. Ces pages de journal-brouillon ont été publiées en annexe dans *Le Grand Meaulnes*, édition établie par Alain Rivière et Françoise Touzan, Garnier, 1986. L'intégralité des brouillons est aussi parue dans le bulletin n° 124 (2010) de l'AJRAF(www.association-jacques-riviere-alain-fournier.com)

5. Journal-brouillon du *Grand Meaulnes*, in *Le Grand Meaulnes*, *op. cit*, p. 540.

6. Aujourd'hui Théâtre de la Ville, place du Châtelet.

7. Une lettre à Henriette du 11 décembre 1911 a été retrouvée et publiée dans *Lettres à sa famille et à quelques autres*, *op. cit.*, p. 625.

8. Henri Fournier à Isabelle Rivière, 20 septembre 1910, p. 406 in *Correspondance Alain-Fournier et Jacques Rivière*, Gallimard, 1991. Cette lettre date plus sûrement du 13 septembre. Fournier écrit à sa sœur seule parce que Jacques effectue vingt-huit jours de manœuvres militaires. Celui-ci rentrera

le 15 septembre, date à laquelle l'écrivain envoie sa note sur *Marie-Claire* qu'il n'a pas finie quand il écrit à Isabelle puisqu'il lui dit qu'il s'est interrompu pour elle. Le début de cette lettre à Isabelle est la reprise d'une lettre à Bichet du 11 septembre. Voir note 97.

9. Finalement, elle s'appellera Valentine Blondeau. Blondeau, proche de Bruneau, est aussi le nom de jeune fille de la grand-mère maternelle de l'écrivain.

10. Lettre 1 du présent volume.

11. Publié dans *Miracles*.

12. *Le Grand Meaulnes,* Chapitre XIV, troisième partie, *op. cit,* p. 362 et 366.

13. Dans le journal-brouillon du *Grand Meaulnes* relatif à Jeanne Bruneau Fournier a noté : « Tout autour de nous, il y a des femmes trop décolletées sur lesquelles je plaisante. Elle sourit. Puis elle dit : il ne faut pas que je rie. Moi aussi je suis trop décolletée. Et elle s'enroule dans son écharpe. Et en effet sous le carré de dentelle noire sa poitrine délicate transparaît. Dans sa hâte à changer de toilette elle a refoulé le haut de sa chemise montante sur laquelle on voit s'appuyer/s'appuient pauvrement ses seins délicats. » in *Le Grand Meaulnes, op. cit.* p. 542. Le passage avec quelques variantes est repris dans le chapitre XIV, troisième partie.

14. Alain-Fournier, en vacances à La Chapelle-d'Angillon du 14 août au 28 septembre, se rend à Bourges le 27 août pour voir Jeanne qui séjourne chez sa mère. Cette visite lui inspirera l'errance de Meaulnes à Bourges cherchant Valentine déjà repartie à Paris (chapitre XVI, troisième partie).

15. Lecture du mot incertaine.

16. La sœur de Marguerite Lhote, Jeanne Hayet, épouse de Jean-Gustave Tronche, est morte le 12 août d'une fièvre puerpérale. Son enfant était décédé quatre jours auparavant. « Jacques m'écrit qu'il l'a vue, défigurée par la douleur. C'est bien. » écrit Fournier à René Bichet le 11 septembre 1910. Cet événement tragique, qui devait inspirer à l'écrivain le chapitre sur la mort d'Yvonne de Galais, a beaucoup ému Alain-Fournier et les Rivière.

17. Voir documents 1 et 2.

18. « Le Miracle de la fermière ». Il paraîtra dans *La Grande Revue* le 25 mars 1911 et sera repris dans *Miracles*.

19. *Paris-Journal,* quotidien d'actualité dans lequel Alain-Fournier tenait alors le « Courrier littéraire ».

20. La note de lecture sur *Marie-Claire* de Marguerite Audoux paraîtra dans la *NRF* de novembre 1910. Le texte est repris dans *Miracles et autres textes,* Livre de poche, 2011.

21. Revue artistique et littéraire bimensuelle reprise par Jacques Rouché en 1907 et qu'il dirigea jusqu'en 1939, date à laquelle elle cessa de paraître.

22. Durée du séjour de Valentine et Meaulnes à la campagne, chapitre XV, troisième partie, qui correspond, dans une première version, au chapitre que Fournier dit avoir écrit dans sa lettre.

23. Un mot illisible.

24. Lecture du mot incertaine.

25. Lecture des deux mots incertaine.

26. Phrase écrite en biais.

27. Lecture du mot incertaine.

28. Phrase écrite en biais.

29. Un mot illisible.

30. Un mot illisible.

31. Deux mots illisibles.

32. Un mot rayé.

33. Parmi les papiers sur Jeanne conservés dans le fonds Jacques Rivière-Alain-Fournier, se trouve une image découpée dans le *Weekly Telegraph* et représentant une femme en train de lire près d'une fenêtre où apparaît un homme. Alain-Fournier a ajouté ce mot : « Je vous envoie cette mauvaise gravure parce que la jeune fille a votre coiffure et que cela m'amuserait d'être habillé comme le jeune homme. » N'est-ce pas une image du couple modèle dont l'écrivain rêvait ?

34. Deux mots illisibles.

35. Alain-Fournier à René Bichet, in *Lettres au petit B.*, *op. cit,* p. 214

36. Isabelle Rivière indiquait avril dans *Vie et Passion d'Alain-Fournier*. La date proposée par Jean Loize est plus pertinente : le dimanche 4 décembre il a plu à Paris tout

l'après-midi et la pièce de Jammes *La Brebis égarée* dont il est question vient de paraître.

37. Jacques Copeau (1879-1949), ami de Gide, fit partie des premiers membres de la *Nouvelle Revue française* qui parut à partir de février 1909. Homme de théâtre, il fonda le Vieux Colombier en 1913.

38. Mots rayés.

39. Jacques et Isabelle Rivière habitaient au 15 rue Froidevaux depuis septembre 1910, à proximité de la rue Cassini où vivaient l'écrivain et ses parents.

40. Un mot rayé.

41. Sur Jeanne Tronche voir note 16.

42. *Paris-Journal*.

43. Mots rayés.

44. Mots rayés.

45. Mot rayé.

46. Pièce de Francis Jammes publiée dans la *Revue hebdomadaire* de décembre 1910.

47. Mot rayé.

48. Isabelle Rivière dans *Vie et passion d'Alain-Fournier* indique qu'il s'agit d'une citation de Claudel.

49. Fournier cite la dernière réplique de Françoise et la dernière didascalie de *La Brebis égarée*.

50. Paragraphe écrit dans la marge.

51. Indication d'Isabelle Rivière qui date donc par erreur la lettre d'avril 1911.

52. Marguerite Audoux avait obtenu le prix Vie heureuse (Femina) le 2 décembre pour son premier roman d'inspiration autobiographique, *Marie-Claire*.

53. La pièce parut dans la *NRF* à partir de décembre 1910.

54. Marguerite Audoux.

55. Mots rayés.

56. Un mot rayé.

57. L'hôpital Cochin sur lequel donnent les fenêtres de l'appartement rue Cassini.

58. Henri Fournier entra en classe de seconde navale pour préparer le Borda le 30 septembre 1901.

59. Lors de sa première année scolaire à Brest, Fournier

passa les vacances de Noël 1901 au lycée et ne revit sa famille que pour les congés de Pâques 1902.

60. Voir note 18.

61. Mots rayés.

62. Mots rayés.

63. Un mot rayé.

64. Un mot rayé.

65. « [C]hacun se crée la réalité qu'il a méritée. Christophe Colomb a rencontré les rivages d'Amérique parce qu'il avait eu l'audace de les susciter. Jamais la réalité n'a déçu celui qui avait le courage et l'imagination pour croire en elle » écrit Alain-Fournier à André Lhote le 16 janvier 1910, in *La Peinture, le Cœur et l'Esprit. Correspondance inédite (1907-1924)*, André Lhote, Alain-Fournier, Jacques Rivière, William Blake/ Musée des Beaux-Arts de Bordeaux, 1986, p. 20, tome 2.

66. Deux lignes rayées.

67. À la Chapelle-d'Angillon dans le Cher.

68. Ville du Gers où Fournier, sous-lieutenant du 88ᵉ régiment d'infanterie, effectua la fin de son service militaire du 5 avril au 25 septembre 1909.

69. « Miracle de la fermière », voir note 18.

70. Georges Le Cardonnel (1872-1941), écrivain et adjoint de Charles Morice, le directeur littéraire de *Paris-Journal*.

71. Revue littéraire et artistique mensuelle fondée en décembre 1901, elle publia notamment Claudel. Elle cessa de paraître au début de la Première Guerre mondiale.

72. Un élève, indique Isabelle Rivière dans *Vie et Passion d'Alain-Fournier*. L'écrivain donnait quelques cours particuliers, il eut notamment comme élève le futur écrivain T. S. Eliot.

73. René Bichet (1886-1912), ami de Fournier et Rivière, il fut leur condisciple à Lakanal.

74. Chez Jeanne.

75. Alain-Fournier parlait souvent d'André Gide et de la *NRF* dans ses courriers littéraires de *Paris-Journal*. Il arrivait que ses échos déplaisent à Gide.

76. Revue politique et littéraire hebdomadaire fondée en 1863. Elle cessa de paraître en 1939.

77. Mot souligné quatre fois.

78. Phrase écrite à l'envers, en haut de la dernière page.

79. Un mot rayé.

80. La maison du notaire d'Épineuil-le-Fleuriel où se ren-
daient de temps en temps les Fournier. Elle est décrite par
Isabelle Rivière dans *Images d'Alain-Fournier par sa sœur
Isabelle*. L'écrivain s'en est inspiré pour le décor lors de la
fête étrange. Ses réminiscences d'un paradis enfantin avec les
petites filles est un thème qu'Alain-Fournier a traité dans certains de ses textes en prose réunis dans *Miracle*s et dans sa
correspondance, notamment avec Jacques Rivière.

81. Un mot rayé.

82. Alain-Fournier était payé à la ligne.

83. Mot souligné deux fois.

84. Mot souligné deux fois.

85. Un mot rayé.

86. Suite de la lettre perdue.

87. « Il la renvoya malgré lui et malgré elle », phrase de Sué-
tone évoquant la séparation entre Titus et Bérénice et dont
Racine tira le sujet de *Bérénice*.

88. Petit village du Cher, aux portes de la Sologne où est né
le père de l'écrivain.

89. Phrase écrite de la main de Jeanne.

90. L'un des prénoms de Meaulnes auxquels l'auteur avait
songé pour son héros avant de l'appeler Augustin.

91. Ces pages, comme tout ce qui concerne Jeanne Bruneau,
sont conservées à la bibliothèque des Quatre Piliers à Bourges
et appartiennent au fonds Jacques Rivière-Alain-Fournier.

92. Sept lignes rayées.

93. Surcharge, « mots » mis à la place de « phrases ».

94. Trois lignes rayées.

95. Voir note 8.

96. En juin, Alain-Fournier avait envoyé sa sœur chez
Jeanne pour se faire faire un chapeau. Le couple était alors
brouillé. On comprend ici que l'écrivain n'avait pas révélé à
Isabelle et Jacques Rivière sa liaison avec Jeanne.

97. « [M]a vie est faites d'anecdotes de ce genre » ajoute-
t-il dans sa lettre à René Bichet. Toute la première partie de
cette lettre à Isabelle est la reprise presque identique de celle

adressée à René Bichet datée du 11 septembre. Ce passage a été d'abord rédigé sous forme de brouillon conservé avec les lettres à Jeanne dans le fonds Rivière-Fournier.

98. Fournier cachera à sa mère la reprise de sa relation avec Jeanne, seuls Isabelle et Jacques restant dans la confidence.

99. Yvonne de Quiévrecourt.

100. Peut-être cet étudiant en droit qui finissait sa thèse, René-Charles Pioche, qu'elle épousa en 1918. Jeanne avait fait sa connaissance avant sa relation avec l'écrivain. Voir article de Patrick Martinet, « Jeanne Bruneau, la Valentine du *Grand Meaulnes* », in *Histoires Littéraires*, avril, mai, juin 2013, n° 54.

101. Deux vers de « L'Ennemi » de Baudelaire. Alain-Fournier commence sa citation par « Mais » au lieu de « Et ».

102. « Mais quel épouvantable courage ! écrit Jacques Rivière le 19 octobre peu après avoir lu la lettre de son beau-frère. Et comme vraiment il faut que tu sois sûr de ne pas tenir l'amour pour oser cette cruauté ! D'ailleurs ne vois en ce que je dis là aucun blâme. [...] Seulement j'ai une sorte de peine abstraite, une sorte de malaise à penser qu'un amour est brisé, ne peut pas vivre. »

103. Quatre lignes rayées.

CHRONOLOGIE

1886. Naissance d'Henri-Alban Fournier le 3 octobre à La Chapelle-d'Angillon (Cher) chez ses grands-parents maternels.

1889. Naissance d'Isabelle Fournier le 16 juillet à La Chapelle-d'Angillon.

1891. Fin septembre, le père de l'écrivain est nommé instituteur à l'école d'Épineuil-le-Fleuriel (Cher). Henri Fournier y suit toutes les classes du primaire.

1898. Reçu premier du canton au certificat d'études en juin, Henri Fournier entre en octobre en sixième au lycée Voltaire de Paris.

1901. En septembre, Henri Fournier entre comme interne au lycée de Brest, en classe de seconde navale pour préparer le Borda. Il abandonnera aux vacances de Noël 1902.

1903. Henri Fournier intègre la classe de rhétorique (terminale) au lycée de Bourges et obtient son baccalauréat en juin. En octobre, il est admis en première supérieure au lycée Lakanal de Sceaux. Jacques Rivière est l'un de ses condisciples.

1904. Au printemps, Henri Fournier rencontre Yvonne Godofe avec laquelle il noue une relation sentimentale.

1905. Le 1er juin, jour de l'Ascension, Henri Fournier, en sortant du Grand Palais, rencontre Yvonne de Quiévrecourt. Elle lui inspirera le personnage d'Yvonne de Galais dans *Le Grand Meaulnes*. Le 11 juin, dimanche de Pentecôte, il revoit Yvonne de Quiévrecourt qu'il a guettée devant son immeuble et lui parle. Du 2 juillet au 16 septembre, Henri Fournier travaille comme traducteur à la Factory Sanderson à Londres. En octobre, Fournier suit une seconde khâgne à Lakanal. En décembre, il écrit un fragment en prose, « Les Gens du domaine », qu'il signe Alain Fournier sans trait d'union.

1906. Le 16 juillet, Henri Fournier échoue au concours d'entrée à l'École normale supérieure. En octobre, il intègre la khâgne du lycée Louis-le-Grand alors que sa sœur entre au lycée Fénelon.

1907. Fin avril, Jacques Rivière, libéré du service militaire, séjourne à Paris et fait la connaissance d'Isabelle. En juillet, Henri Fournier échoue au concours d'entrée à l'École normale supérieure. Il apprend qu'Yvonne de Quiévrecourt est mariée depuis octobre 1906. Le 30 septembre, Fournier achève son bref essai poétique, « Le Corps de la femme », qui paraît dans *La Grande Revue* en décembre sous le nom d'Alain-Fournier. Le 2 octobre, Fournier commence son service militaire, il intègre le 104e régiment d'infanterie à la caserne de Latour-Maubourg, à Paris en novembre.

1908. Les fiançailles de Jacques Rivière et Isabelle sont officialisées. En septembre, Fournier est reçu comme élève-officier de réserve au peloton au Mans. Du 29 novembre au 13 décembre, Fournier profite de sa permission pour écrire un texte en prose, « La Femme empoisonnée ». Il rencontre le peintre André Lhote à Paris.

1909. Le 5 avril, nommé sous-lieutenant, Fournier rejoint à Mirande le 88e régiment d'infanterie. Les 30 et 31 mai, il gagne Bordeaux le temps d'une permission et rend visite à André Lhote qui vient de se marier. Le 24 août Jacques Rivière épouse Isabelle. Un mois plus tard, Fournier achève son service militaire.

1910. Le 12 février Alain-Fournier rencontre Jeanne Bruneau, une modiste. Le 26 mars, la famille Fournier et le couple Rivière s'installent 2, rue Cassini, près de l'Observatoire. Le 1er avril, Fournier fait paraître deux notes de lecture dans la *NRF*. Le 9 mai, Fournier est chargé du courrier littéraire pour *Paris-Journal*. Du 22 au 28 juin, l'écrivain et Jeanne Bruneau séjournent chez le couple Lhote à Orgeville. Du 14 août au 28 septembre, Fournier passe des vacances en Berry. Le 27 août, il rend visite à Jeanne qui séjourne chez sa mère, à

Bourges. Peu après, le couple rompt pour ne renouer vraiment que fin octobre.

1911. Le 25 mars, *La Grande Revue* publie le conte « Le Miracle de la fermière ». Jacqueline Rivière naît le 23 août. Henri Fournier en est le parrain.

1912. À la fin du printemps, Alain-Fournier rompt définitivement avec Jeanne Bruneau. Le 5 mai, l'écrivain entre au service de Claude Casimir-Perier comme secrétaire. Fournier rencontre Simone (Pauline Benda), comédienne et épouse de Perier qui deviendra sa maîtresse en juin 1913. Le 21 décembre, René Bichet, son ami et ancien camarade de Lakanal, meurt à la suite d'une piqûre de morphine.

1913. En janvier, Alain-Fournier achève *Le Grand Meaulnes*. Après des manœuvres militaires à Mirande, il s'arrête le 1er mai à Rochefort pour rencontrer la sœur d'Yvonne de Quiévrecourt. Du 1er au 4 août, Alain-Fournier, amant de Simone, effectue un second séjour à Rochefort et a plusieurs entrevues avec Yvonne. De juillet à novembre, *Le Grand Meaulnes* paraît en cinq livraisons dans la *NRF* avant d'être publié en volume chez Émile-Paul frères en octobre. Le 25 août, Alain-Fournier rejoint Simone et Claude Casimir-Perier à Cambo-les-Bains (Pyrénées atlantiques). Ils séjournent ensuite une semaine à La Chapelle-d'Angillon. Le 3 décembre, Fournier manque le prix Goncourt attribué à Marc Elder pour *Le Peuple de la mer*.

1914. En mai et juin, Simone et Fournier séjournent à Trie (Oise). L'écrivain continue à travailler sur *Colombe Blanchet*, son second roman, resté inachevé. Le 20 juillet, les amants déjeunent à Bordeaux avec Jacques et Isabelle Rivière. Le couple Rivière ne reverra plus l'écrivain. Du 21 au 31 juillet, les amants séjournent à Cambo-les-Bains. Le 1er août, la mobilisation générale est déclarée en France. Dans la cathédrale de Bayonne, Fournier et Simone se promettent de se marier après la guerre. L'écrivain gagne son régiment à Mirande. Le 19 septembre le lieutenant Fournier adresse sa dernière lettre à ses parents et à Simone. Le 22 septembre, il est tué dans les bois de Saint-Remy-la-Calonne (Meuse).

BIBLIOGRAPHIE

ŒUVRES D'ALAIN-FOURNIER

Le Grand Meaulnes. Miracles, précédé de « Alain-Fournier par Jacques Rivière », suivi de : « Le dossier du Grand Meaulnes », Texte établi et annoté par Alain Rivière et Françoise Touzan. Présentation et bibliographie de Daniel Leuwers, Garnier, coll. « Classiques Garnier », 1986.

Miracles et autres textes, précédé de « Alain-Fournier par Jacques Rivière », présenté et annoté par Jacques Dupont, Livre de Poche Classiques, 2011.

Correspondance Alain-Fournier-Jacques Rivière (1904-1914), nouvelle édition établie par Pierre de Gaulmyn et Alain Rivière. Gallimard, 1991, 2 volumes.

Lettres au petit B., correspondance d'Alain-Fournier, Jacques Rivière et André Lhote avec René Bichet, édition revue et augmentée par Alain Rivière, Fayard, 1986.

Lettres à sa famille et à quelques autres, avant-propos d'Alain Rivière, Fayard, 1991.

La Peinture, le Cœur et l'Esprit. Correspondance inédite (1907-1924), André Lhote, Alain-Fournier, Jacques Rivière, texte établi et présenté par Alain Rivière, Jean-Georges Morgenthaler et Françoise Garcia, Bordeaux, William Blake/Musée des Beaux-Arts de Bordeaux, 1986, 2 volumes.

SUR ALAIN-FOURNIER

Ariane Charton, *Alain-Fournier*, Gallimard, coll. « Folio biographies », 2014.

Jean Loize, *Alain-Fournier, sa vie et le Grand Meaulnes*, Hachette, 1968.

Isabelle Rivière, *Images d'Alain-Fournier par sa sœur Isabelle*, Paris, Émile-Paul frères, 1938.

Isabelle Rivière, *Vie et passion d'Alain-Fournier*, Monaco, Jaspard, Polus & Cie, 1963.

TABLE

Dans la même collection

Collectif, *Vins d'ailleurs*
Collectif, *Vins de France*
Collectif, *Vlaminck/Carco*
Cortázar, Julio, *L'autoroute du Sud*
Crébillon, *La Nuit et le Moment*
Cros, Charles, *Grains de sel et autres poèmes*
Daudet, Alphonse, *La Doulou.*
Deffand, Mme du, *À Horace Walpole*
Delerm, Philippe, *Monsieur Spitzweg s'échappe*
Desbiolles, Maryline, *Manger avec Piero*
Diderot, Denis, *Ceci n'est pas un conte*
Dolto, Françoise et Lévy, Danielle Marie, *Parler juste aux enfants*
Dolto, Françoise, *Jeu de poupées*
Dolto, Françoise, *Kaspar Hauser, le séquestré au cœur pur*
Dolto, Françoise, *Le dandy, solitaire et singulier*
Dolto, Françoise, *L'enfant dans la ville*
Dolto, Françoise, *L'enfant et la fête*
Dolto, Françoise, *Parler de la mort*
Dolto, Françoise, *Parler de la solitude*
Dolto, Françoise, *Mère et fille. Une correspondance*, 1913-1962
Dolto, Françoise, *Père et fille. Une correspondance*, 1914-1938
Dubillard, Roland, *Si Camille me voyait...*
Dumas, Alexandre, *A propos de l'art dramatique*
Dumas, Alexandre, *Blanche de Beaulieu*
Dumas, Alexandre, *Delacroix*
Dumas, Alexandre, *Herminie*
Dumas, Alexandre, *Histoire d'un lézard*
Dumas, Alexandre, *Le pays natal*
Dumas, Alexandre, *Lettres sur la cuisine à un prétendu gourmand napolitain*
Dumas, Alexandre, *L'invitation à la valse*
Dumas, Alexandre, *Mes infortunes de garde national*

Fabre, Jean-Henri, *Sur le Ventoux. L'Ammophile hérissée*

Faulkner, William, *Evangeline*

Félibien, André, *Relation de la fête de Versailles*

Fénéon, Félix, *Nouvelles en trois lignes, t.1*

Fénéon, Félix, *Nouvelles en trois lignes, t.2*

Genlis, Mme de, *De l'esprit des étiquettes de l'ancienne cour et des usages du monde de ce temps*

Grimm, Jacob et Wilhelm, *Les deux frères*

Grimm, *Lettres des Lumières*

Grimod de la Reynière, *Almanach des gourmands*

Guyon, Madame, *Le Moyen court*

Hearn, Lafcadio, *Kwaidan* ou *Histoires et études de choses étranges*

Hemingway, Ernest, *La grande rivière au cœur double*

Hoffmann, E.T.A., *Conte véridique*

Kleist, Heinrich von, *Le duel*

La Fayette, Mme de, *La Princesse de Montpensier*

La Grande Mademoiselle, *Mémoires*

La Motte-Fouqué, Frédéric de, *La Mandragore*

Lawrence, D.H., *La Princesse*

Le Clézio, J. M. G., *Le jour où Beaumont fit connaissance avec sa douleur*

Lespinasse, Julie de, *Mon ami je vous aime*

Loti, Pierre, *Vies de deux chattes*

Louis XIV, *Manière de montrer les jardins de Versailles*

Loy, Rosetta, *Cœurs brisés*

Lubert, Mlle de, *La princesse Camion*

Luzel, F.M., *Le chat noir*

Mac Orlan, Pierre, *Petit manuel du parfait aventurier*

Madame d'Aulnoy, *Altière séduction*

Margrave de Bayreuth, La, *Une enfance à la cour de Prusse*

Marie-Thérèse d'Autriche, *Madame ma chère fille*

Mérimée, Prosper, *Le carrosse du Saint-Sacrement*

Michel, Louise, *Lettres à Victor Hugo*

Michelet, Jules, *Le rossignol*

Modiano, Patrick, *Éphéméride*

Montagu, Lady M. W., *L'Islam au cœur*

Moüette, Germain, *Relation de captivité dans les royaumes de Fez et de Maroc*

Musset, Alfred de, *Gamiani ou deux nuits d'excès*

Nimier, Marie, *Un enfant disparaît*

Noguez, Dominique, *Saut à l'élastique dans le temps*

Novalis, *Journal intime*

Passard, Alain et Thomas, Chantal, *Jardinière Arlequin*

Pergaud, Louis, *Carnet de guerre*

Pidou de Saint-Olon, François, *État présent de l'empire de Maroc*

Pölnitz, Monsieur de, *La Saxe galante*

Recettes littéraires : Cocktails, boissons chaudes et fraîches

Recettes littéraires : Crustacés, poissons de rivière et de mer

Recettes littéraires : Gibiers, volailles, viandes

Recettes littéraires : Hors-d'œuvre froids et chauds, potages

Recettes littéraires : Œufs, pâtes, apprêts de légumes

Recettes littéraires : Pâtisseries, entremets, confiseries

Renard, Jules, *La lanterne sourde*

Richelieu, Maréchal de, *Au risque de la volupté*

Rimbaud, Arthur, *Le lieu et la Formule*

Roi Salomon, *Le Cantique des cantiques*

Roland, Mme, *Lettres à une amie d'enfance*

Rousseau, Jean-Jacques, *Lettres élémentaires sur la botanique*

Sade, D.A.F. de, *L'ogre Minski*

Scudéry, Madeleine de, *Promenade de Versailles*

Semprun, Jorge, *Les sandales*

Staal-Delaunay, Mme de, *Mémoires de jeunesse*

Staël, Mme de, *Réflexions sur le procès de la reine par une femme*

Swift, Jonathan, *Instructions aux domestiques*

Tanizaki, Junichirô, *Le pied de Fumiko*

Tencin, Mme de, *Mémoires du comte de Comminge*

Thomas, Chantal et Passard, Alain, *Jardinière Arlequin*
Thomas, Chantal, *L'île flottante*
Thoreau, Henry David, *Journal* (1837-1852)
Tieck, Ludwig, *La coupe d'or*
Tolstoï, Léon, *Le cheval*
Tourgueniev, Ivan, *Deux amis*
Tourgueniev, Ivan, *Le journal d'un homme de trop*
Tourgueniev, Ivan, *Moumou*
Tsvétaïéva, Marina, *Mon frère féminin.*
Twain, Mark, *Le meurtre de Jules César en fait divers*
Valdés, Zoé, *Ilam perdu*
Verlaine, Paul, *Filles, Femmes et autres chansons*
Walpole, Horace, *Contes hiéroglyphiques*
Walpole, Horace, *Essai sur l'art des jardins modernes*
Weiss, Allen S., *Autobiographie dans un chou farci*
Weiss, Allen S., *Comment cuisiner un phénix*

Composition Dominique Guillaumin, Paris.

Achevé d'imprimer
sur les presses de la Nouvelle Imprimerie Laballery
en février 2014
Imprimé en France

Dépôt légal : février 2014
Numéro d'imprimeur : 401215

264581